5 Stryd y Bont

Irma Chilton

Argraffiad Cyntaf — 1991

ISBN 0 86383 776 X

Cyhoeddwyd dan gynllun comisiynu'r Cyngor Llyfrau Cymraeg.

Dymuna'r cyhoeddwyr gydnabod cymorth a chyfarwyddyd Adrannau'r Cyngor Llyfrau Cymraeg a noddir gan Gyngor Celfyddydau Cymru.

Argraffwyd gan
J. D. Lewis a'i Feibion Cyf., Gwasg Gomer, Llandysul, Dyfed.

1

Roedd y babi'n cysgu'n dawel yn y pram wrth i Gwawr ei wthio ar hyd y stryd; hogyn bach, a barnu wrth y gwrthban glas a'r rhuban a glymai'r capan bach gwyn am ei ben. Allai Gwawr ddim tynnu'i llygaid oddi arno. Gorweddai sypyn tenau o wallt sidanaidd, oedd wedi dianc o'r capan, fel gwawn y gors ar ei dalcen. Welodd hi erioed ddim byd tlysach na'r trwyn smwt, yr ên gron, y bochau llawn a'r gwefusau siâp bwa. Roedd blew y llygaid yn hir ac yn fwy tywyll na'r gwallt. Cuddiai un llaw dan y flanced ond roedd y llall yn y golwg mewn maneg wlân ac wedi'i chau'n ddwrn.

Daeth awydd ysol dros Gwawr i godi'r peth bach a'i gusanu yno ar ganol y stryd. Ond ofnai ei ddeffro a doedd ganddi ddim amser i oedi. Roedd yn rhaid iddi brysuro o ganol y dre, allan o olwg pobl, a hynny'n gyflym. Arhosodd y tu allan i siop fferyllydd, gan ddiolch mai heddiw y cafodd ei siec dôl, a bod ganddi arian i brynu dau becyn mawr o laeth sych i'r babi. Gobeithiai iddi ddewis y math yr oedd o'n gyfarwydd ag o. Tra oedd yn y siop, sylwodd ar becynnau o glytiau unwaith-yn-unig a phrynu un o'r rheiny hefyd.

'Nôl â hi at y pram a phan blygodd drosto, agorodd y babi'i lygaid ac edrych i fyw ei llygaid hi. Dan hud y llygaid glas tywyll hynny clywodd Gwawr ei phennau gliniau'n troi'n ddŵr.

Daeth at ei choed yn gyflym a chyda chip dros ei hysgwydd, rhag ofn bod neb wedi sylwi ar ei gwiriondeb, ailddechreuodd wthio'r pram gan droi am y strydoedd cefn. Teimlai'n fwy diogel yno ond arafodd hi ddim;

daliodd yn ei blaen i droedio'n fân ac yn fuan at 5 Stryd y Bont. Roedd hi wedi penderfynu mynd â'r babi at Mrs Griffiths, oedd yn byw ar ei phen ei hun.

* * *

Yn yr ysgol roedd hi pan gychwynnodd alw gyda Mrs Griffiths; roedd hi newydd gyrraedd dosbarth pedwar ac wedi nodi Cymdeithaseg fel un o'r pynciau yr hoffai eu dilyn at arholiad T.G.A.U. Un o ofynion y cwrs oedd profiad o waith cymdeithasol, a threfnai Mr Phillips, yr athro Cymdeithaseg, le i bob un o'r dosbarth weithio am ryw ddwy awr bob wythnos er mwyn ennill y profiad hwnnw. Roedd Gwawr wedi gobeithio cael lle'n helpu yn yr Ysgol Feithrin, oherwydd teimlai y byddai wrth ei bodd yn ymwneud â phlant bach; fyddai hi ddim wedi grwgnach chwaith pe bai hi wedi cael lle yn yr ysbyty'n difyrru plant sâl, er y byddai'n well ganddi hi blant iach. Ond chafodd hi mo'i dymuniad. Mared gafodd fynd i'r Ysgol Feithrin a Sioned i'r ysbyty.

'Fe gei di, Gwawr, alw efo Mrs Griffiths yn ei chartre,' cynigiodd Mr Phillips. 'Fe elli wneud tipyn o siopa drosti, glanhau ffenestri, glanhau'r tŷ, gwneud byrbryd. Mae 'na ddigon o swyddi bach fyddai'n gymorth iddi hi; ond does dim angen i ti olchi dillad, mae'r Adran Les wedi trefnu i'r *laundry* alw'n rheolaidd, na gwneud pryd o fwyd go iawn, oherwydd fydd gen ti ddim digon o amser i hynny.'

'Pam na all hi wneud ei gwaith ei hun?' gofynnodd, a'i siom yn peri iddi fod yn anarferol o hy, er nad oedd hi'n casáu gwaith tŷ, ac yn wir roedd hi'n mwynhau siopa—ond nid i rywun arall! A gwyddai y gallai drin plant yn well o dipyn na hen bobl.

'Mae hi 'di mynd i oed,' eglurodd Mr Phillips yn llym.

'Faint o oed?' gofynnodd gan sylwi ar aeliau'r athro'n codi'n sydyn am iddi hi ymateb mor chwyrn.

'Wn i ddim. Wnaiff hi ddim dweud wrth neb ond mae hi dros ei phedwar ugain.'

'Fe ddylai fod yn Heulfryn 'ta.' Heulfryn oedd Cartre'r Henoed.

'O bosib! Ond hen wraig fach benderfynol iawn ydi hi ac yn gyndyn iawn i adael ei chartre.'

Grêt! Doedd gan Gwawr ddim profiad o hen wragedd styfnig ond gallai ddychmygu beth oedd o'i blaen.

'A gan ei bod hi'n weddol dda ei hiechyd hyd yma, mae'r awdurdodau wedi gadael iddi aros yno, dros gyfnod beth bynnag.'

'Pam na all yr awdurdodau drefnu i un o'r gwragedd Cymorth Cartre 'na alw arni 'ta?'

'Mae 'na brinder aruthrol o'r rheiny yn yr ardal a dydi hi 'mond yn cael ymweliad am awr ddwy waith yr wythnos, bore Llun a bore Gwener, a dw i'n siŵr fod digon o bethau i'w gwneud yno weddill yr wythnos . . .'

'Oes, debyg. Ond pam bod rhaid i *mi* redeg a chario drosti?'

'Mae 'na ddegau o resymau ond fe wna'r rhain y tro i gychwyn—dw i'n meddwl y gwnei di waith da, bydd yn brofiad gwerthfawr i ti, a dw i'n credu y gwnei di fwynhau.'

Oedd o'n cellwair? Edrychodd i'w lygaid. Na, roedd o mor sobr â sant. Gwgodd. Gwyddai o brofiad nad oedd wiw mynd dros ben llestri gyda Mr Phillips. Roedd ganddo dennyn hir ond pan ddôi hwnnw i ben, lwc owt wedyn, fyddai ganddo ddim trugaredd. Penderfynodd y byddai'n ddoeth iddi beidio â bod lawn mor wrthnysig.

'Ble mae hi'n byw?' gofynnodd yn grintachlyd, gan ddychmygu byngalo yn un o'r maesdrefi. 'Gobeithio nad ydi o 'mhell. Dw i ddim am wastraffu 'mhres poced ar docynnau bws bob wythnos.'

Gwenodd Mr Phillips a'i ddannedd gwynion yn fflachio dan y mwstas trwchus. 'Fydd dim angen i ti wastraffu dim ar docyn bws. Yn rhif 5 Stryd y Bont mae Mrs Griffiths yn byw a dw i wedi galw arni'n barod i ddweud y bydd rhywun yn dod ati; rhywun ifanc, hoenus, llawn bywyd a fydd wrth ei bodd yn ei helpu. Ti!' cellweiriodd, gan bwyntio bys ati.

'Stryd y Bont!' ebychodd Gwawr.

'Ie. Fawr hwy na chanllath o gât yr ysgol. Gei di ddod i'r ysgol ar y bws fel arfer a cherdded yno mewn llai na phum munud . . .'

Anwybyddodd frwdfrydedd ffug Mr Phillips. Stryd y Bont! Doedd pethau ddim yn argoeli'n dda o gwbl. Teras o hen fythynnod diolwg yn cefnu ar y rheilffordd oedd Stryd y Bont. Roedd pob un wedi'i adeiladu o frics a fu unwaith yn goch, ond a oedd bellach mor fudr nes i'r coch gael ei guddio gan faw; ffenestri bach a drysau isel. Ac erbyn meddwl, roedd hi'n siŵr iddi weld pren yn lle gwydr yn rhai o'r ffenestri.

'Doeddwn i ddim yn meddwl bod neb yn byw yno erbyn hyn. Doeddwn i ddim yn meddwl bod y tai'n addas i bobl fyw ynddyn nhw.'

'Mae rhai o'r tai'n wag,' cytunodd Mr Phillips, 'ond mae 'na ryw dri ohonyn nhw'n dal yn gartrefi; a rhif 5 yn eu plith,' meddai'n bendant, i ddiweddu'r ddadl. Trodd at y dosbarth i sôn am drefniadau a goblygiadau'r cwrs. 'Fe fydda i'n disgwyl i chi gadw cofnod manwl o bob dim y byddwch chi'n ei wneud . . . Mae gen i ffeil newydd sbon yr un i chi yma.' Aeth yn ei flaen i sôn pryd y byddai'n disgwyl cael y ffeiliau i mewn iddo fo gael golwg arnynt. 'A synnwn i ddim na wna i alw heibio rhyw fore i weld sut bydd rhai ohonoch chi'n ymdopi hefyd . . .' meddai.

Ochneidiodd Gwawr gan dderbyn yr anochel—a'r ffeil newydd—dros dro, o leiaf.

* * *

Cyn yr egwyl fore Mercher gwaith maes Cymdeithaseg oedd ar yr amserlen, ac er mwyn ymestyn y wers roedd Mr Phillips wedi trefnu i'r dosbarth gael ei esgusodi rhag cofrestru a'r gwasanaeth boreol. Gallai pawb felly fynd at eu gwaith yn syth o'u cartrefi a chael deugain munud da yn hwy na'r wers ddwbl arferol.

Felly'r bore Mercher canlynol, yn betrus iawn, dyma Gwawr yn anelu am Stryd y Bont. Roedd ofyról lân yn ei bag ysgol, gwg ar ei hwyneb, a llythyr gan Mr Phillips yn ei phoced yn egluro pwy oedd hi, y math o ddyletswyddau fyddai'n addas iddi gyflawni, a faint o amser yr oedd i'w dreulio yno.

Wrth gerdded ar hyd y stryd, sylwodd mor ddi-raen yr oedd y tai. Dangosai'r pren a hoeliwyd dros y ffenestri nad oedd neb yn byw yn rhifau 6, 7 a 9 nac yn 1, 2, 4; ac er bod gwydr yn y ffenestri, roedd yn amlwg nad oedd neb yn byw yn rhif 3 chwaith. Chwythwyd hen bapurau fferins a hufen iâ yn dwmpathau bach gan y gwynt i gorneli'r drysau. Ymddangosai rhif 8 yn eitha parchus, ond doedd golwg rhifau 5 a 10 fawr gwell na'r tai gwag, meddyliodd, wrth sefyll y tu allan i ddrws rhif 5 a'i astudio. Roedd gwydr yn y ffenestri a llenni lês—er bod angen eu trwsio—at hanner y ffenest fach oedd wrth ymyl y drws, ac roedd gweoedd pry cop yn drwchus ar draws corneli'r ffrâm. Beth bynnag a wnâi'r wraig Cymorth Cartre yn ystod ei hawr fer, doedd hi ddim wedi glanhau y tu allan i'r ffenest erstalwm iawn. Roedd paent y drws wedi codi'n swigod hefyd gan adael ambell glwt o bren noeth yma ac acw.

Dyfnhaodd y gwg ar wyneb Gwawr. Doedd hi ddim am dreulio hanner ei bore yn y twll hwn. Cafodd ei themtio i droi ar ei sawdl a mynd yn ôl i'r ysgol ar ei hunion. Swil oedd hi wrth fynd i le dieithr ar y gorau ac roedd yn wirioneddol gas ganddi gyfarfod â phobl ddieithr. Câi anhawster i greu perthynas â neb ac ar ei phen ei hun yr hoffai fod gan amlaf. Petrusodd am amser hir yn ceisio cael hyd i esgus dros roi'r gorau i'r fenter yn y fan a'r lle. Fyddai Mr Phillips yn ei chredu pe bai hi'n honni'i bod wedi cnocio ar y drws a heb gael ateb? Na fyddai! Roedd o'n ddigon hirben ac yn ddigon drwgdybus i alw heibio i weld a oedd hi'n dweud y gwir ai peidio; a dim ond gohirio'r ymweliad wnâi hynny beth bynnag. Byddai'n rhaid iddi ddod yno'r wythnos wedyn . . . Cnociodd. Efallai y gallai wneud jôc o'r cyfan erbyn iddi ddychwelyd i'r ysgol. Efallai!

Wedi cnocio, arhosodd gan ddisgwyl i rywun ddod at y drws i'w gwahodd i mewn. Roedd Mrs Griffiths yn ei disgwyl hi, on'd oedd hi? Ond ddaeth neb. Cnociodd eilwaith, yn drymach y tro hwn ac o glustfeinio, clywodd lais yn galw.

'Trowch y bwlyn a dowch i mewn.'

Teimlai'n gasach fyth wrth estyn am y bwlyn pres pŵl. Ymddangosai'n weithred mor hy, mynd i mewn ei hun i dŷ preifat na fu ynddo erioed o'r blaen. Yn betrus iawn, agorodd y drws a chamu dros y trothwy, nes ei chael ei hun mewn stafell fyw. Doedd dim llathen o gyntedd na phasej bach na dim. Roedd hi mewn stafell fach a ymddangosai'n dywyll iawn wedi iddi gamu o ddisgleirdeb golau'r haul y tu allan; dim ond yr un ffenest fach yn ymyl y drws oedd yn ei goleuo. Craffodd o'i chwmpas. Welai hi ddim golwg o Mrs Griffiths yn unlle, ond roedd drws i'r cefn yng nghanol y wal bella, grisiau'n codi i'r llofft ar y dde, clamp o fwrdd mawr wedi'i orchuddio â lliain trwchus tywyll ar ganol y llawr, a phedair o gadeiriau pren o'i gwmpas. Ni allai weld y lle tân, gan fod cadair esmwyth gefn uchel rhyngddi hi a hwnnw. Ond gwelai'r silff-ben-tân yn orlawn o fân bethau. Cafodd yr argraff fod y stafell yn llawn, bron at ffrwydro . . . Tynnodd anadl. Oedd, roedd yno oglau ysgafn; oglau yr oedd hi'n eu hadnabod ond na allai gofio beth oedden nhw.

'Peidiwch â sefyll fan'na, dowch i mewn i mi gael eich gweld chi.' Torrodd llais ar draws ei syfrdandod a synnodd at ei awdurdod. Er gwaetha disgrifiad Mr Phillips ohoni fel gwraig benderfynol, roedd hi wedi disgwyl i Mrs Griffiths fod yn fregus—wedi'r cwbl, hen wraig oedd hi, ac mae hen wragedd i fod yn wanllyd, 'tydan?

Symudodd yn nes at ganol y stafell a sefyll o flaen y gadair fawr o ble deuai'r llais. Gwelodd wyneb rhychiog crwn, a llygaid chwilfrydig yn rhythu arni drwy sbectol rimyn binc. Roedd y gwallt llwyd fel nyth brân, yn hir at ei hysgwyddau, â swp go lew ohono wedi dianc o'r cocyn ar ei phen. Yn sicr welodd o ddim crib y bore hwnnw. Gwisgai gardigan lac a sgert las tywyll, sanau llwyd a hongiai'n wrymiau dros goesau tenau, a phâr o sliperi brith fel croen llewpart a thosl brown ar y blaen ar ei thraed. Estynnai ei thraed tuag at y tân trydan un bar a losgai'n goch o flaen yr aelwyd.

‘Y nefi blw, dwyt ti fawr mwy na phlentyn. Be sy arnyn nhw’n danfon plant yma rŵan?’ oedd ei sylw syn.

Naill ai doedd Mr Phillips ddim wedi egluro’n dda iawn neu roedd Mrs Griffiths wedi anghofio beth ddywedodd o. Yn teimlo’n fwy lletchwith fyth, eglurodd Gwawr ei bod hi wedi cael ei hanfon o’r ysgol. ‘Mae gen i lythyr yma efo’r manylion . . . ’ meddai, gan estyn amdano o’i phoced a’i gynnig i’r wraig a oedd yn craffu arni â diddordeb cynyddol.

‘Na, na,’ gwrthododd hi’r llythyr, ‘fyddwn i ddim gwell o’i gymryd, alla i ddim darllen drwy’r sbectol yma. Mae’n rhaid i mi gael y rhai ymyl du ac alla i ddim yn ’y myw â chofio ymhle rhoes i nhw lawr ddwytha.’

‘Fe chwilia i amdanyn nhw,’ cynigiodd Gwawr, er mwyn cael gwneud rhywbeth ac osgoi’r archwiliad craff a’i gwnâi mor anesmwyth.

Os oedd hi’n disgwyl i’r wraig dderbyn ei chynnig yn ddiolchgar, ei siomi a gafodd hi. ‘Na wna wir,’ daeth yr ateb swta, ‘dda gen i’m gweld dieithriaid yn chwilmentan drwy ’mhethau i. Mae honno o’r Adran Les yn ddigon drwg ac mae hi’n wraig aeddfed . . . wedi bod yn galw ers tro byd. Gad i mi weld rŵan, o’r ysgol ddywedest ti? O ia, dw i’n cofio; y dyn ifanc yna efo’r mwstas.’

‘Ie, dyna fo, Mr Phillips,’ cadarnhaodd Gwawr.

‘Dyna oedd ei enw fo, ia? Dyn digon clên i bob golwg. A be ddeudodd o oeddet ti i fod i’w wneud yma?’

‘Eich helpu chi.’

‘Fy helpu i, ia? Rhaid bod ganddo ffydd mawr ynot ti. Gawn ni weld os wyt ti’n deilwng.’

Pletiodd Gwawr ei gwefusau. Doedd hi ddim wedi disgwyl carped coch ond roedd hi wedi disgwyl gwell derbyniad na hyn.

'Ond gan dy fod ti yma,' aeth Mrs Griffiths yn ei blaen, 'cystal i ti ddweud wrtha i be 'di d'enw di. Mae'n iawn i mi gael gwybod pwy sy'n mynd a dod yn 'y nghartre i.'

'Gwawr.'

'Am i ti gael d'eni'n gynnar yn y bore, e'lla?'

'E'lla.' Fyddai Gwawr fyth yn hoffi i neb ei holi ynglŷn â'i henw.

'A beth am d'ail enw di, i mi gael gwybod yn union pwy sgen i.'

Fyddwch chi fyth yn gwybod, murmurodd Gwawr dan ei hanadl. Doedd hi ddim yn gwybod ei hun pwy oedd hi'n union. Ac er bod ei thu mewn yn dechrau corddi gan ddicter tuag at yr hen wrach fusnesgar, atebodd yn ufudd, 'Wilkins'.

'Diolch. A rŵan, Gwawr Wilkins, be mae dy lythyr di'n ei ddweud? Darllen di o i mi.'

'Atoch chi mae o 'di'i gyfeirio . . .'

'A dw i'n rhoi caniatâd i ti ei agor ond i ti eistedd yn un o'r cadeiria acw, yn lle sefyll fel polyn lein ar ganol y llawr.'

Eisteddodd Gwawr, er bod ei gwaed yn berwi. Darllenodd gynnwys y llythyr. Roedd hi i ymweld â 5 Stryd y Bont bob bore Mercher am ddeng munud i naw ac aros tan ugain munud i un ar ddeg yn ystod tymhorau'r ysgol a hynny am bum tymor. Roedd hi i helpu gyda'r gwaith tŷ, i siopa neu hwylio byrbryd a phob math o jobsys bach i hwyluso pethau. Bu bron iddi dagu dros y cymal olaf lle diolchai Mr Phillips i Mrs Griffiths am ganiatáu iddi hi, Gwawr, fagu profiad yn ei chartre.

'Hm! Wela i,' ebychodd yr hen wraig a thaflu cip ar Gwawr. Plygodd hithau'i phen gan deimlo mwy fel morwyn fach yn chwilio am waith na chymwynaswr gwirfoddol. Doedd hi ddim wedi disgwyl y byddai Mrs

Griffiths mor . . . mor . . . wel, yn gymaint o feistres. Doedd hi ddim yn ymddwyn fel rhywun mewn angen o gwbl; roedd hi'n haerllug. Ond roedd gwaeth eto i ddod.

'Mae golwg geneth gref arnat ti. Wyt ti wedi dysgu sut i weithio?'

'Rhowch rywbeth i mi ei wneud ac fe gewch chi farnu drosoch chi'ch hun,' meddai'n sychlyd.

'Cynnig da,' meddai Mrs Griffiths, gan swnio'n fodlon am y tro cyntaf oddi ar i Gwawr ei chyfarfod. 'Cystal i ti gychwyn ar waith cynnes. Glanhau'r grât a chynnau tân.'

Trodd Gwawr i wynebu'r lle tân agored henffasiwn, a syrthiodd ei gwep wrth weld llond grât o ludw cochlyd gydag ambell golsyn a chnapau wedi'u hanner llosgi yn brigo drwyddo. Doedd hi ddim wedi cynnau tân erioed o'r blaen a wyddai hi ddim sut i wneud. Gwres canolog oedd ganddyn nhw gartre a dim ond ar achlysuron arbennig iawn, pan fyddai ffrindiau i John a Sylfia'n dod acw am bryd o fwyd neu ar ddydd Nadolig, y bydden nhw'n cynnau tân go iawn, a thân coed fyddai hwnnw a John yn ei osod.

'Dw i'n ddigon cynnes, diolch,' meddai. 'A gan fod y tân trydan gennoch chi oni fyddai'n well i mi wneud rhywbeth arall—mynd i'r siop i nôl neges, e'lla? Mae'n siŵr bod angen rhywbeth arnach chi.'

'Nag oes, dim.' Plyciodd yr hen wraig wrth ymyl ei chardigan a suddo 'mhellach i ddyfnder y gadair. 'Mae'r siop deithiol yn galw ddwywaith yr wythnos ac mae digon ar honno i wneud y tro i mi.'

'Be am eich pensiwn? Fe a' i i godi hwnnw os rowch chi nodyn i mi.'

'Mae'r Adran Les yn trefnu hynny.'

'Be am dwtio 'ta?' Edrychodd Gwawr o'i hamgylch ar yr

haen denau o lwch a orchuddiai bopeth, a sylwodd ar y briwsion ar y llawr o gwmpas y bwrdd. Allai'r hen wraig ddim gwadu bod angen glanhau . . .

'Does dim diben gwneud dim cyn cynnau'r tân,' oedd ateb honno. 'Dyna wnawn i gynta bob bore cyn i'r cricymale 'ma afael yn egr yn 'y nwylo i . . .'

Tynnodd un law yn araf dros y llall ac allai Gwawr ddim peidio â sylwi ar yr esgyrn yn ymwthio drwy'i chroen tenau, tryloyw, fel petalau blodyn. Cofiodd ymhle y clywsai'r oglau a dreiddiai drwy'r gegin o'r blaen hefyd; yn y Cartre a hithau wedi troi'i ffêr a Mrs Powel yn rhwbio *embrocation* arni . . . Anaml iawn y byddai'n meddwl am y Cartre. Prin byth ers blynyddoedd. Ond cofiodd fel roedd ei ffêr wedi brifo am amser hir, er gwaetha'r *embrocation* . . . Ochneidiodd a throi'i sylw at y lle tân. Roedd yr hen wrach bowld yn y gadair wedi'i threchu.

'O'r gore,' meddai'n gyndyn, gan estyn am ei hofyról o'i bag a'i gwisgo amdani. 'Fe wna i gynnau tân. Be dw i'n ei wneud gynta?'

'Os ei di i'r gegin fach, fe weli ffedog fras yn hongian ar hoelen y tu ôl i ddrws y cefn. Dos i'w nôl a'i gwisgo i arbed rhywfaint ar dy ddillad di. A thra wyt ti yno, estyn y bwced lludw a'r llwyarn o'r cefn . . .'

Os oedd y gegin yn gyfyng, roedd y gegin fach fel cwt cwningen. Doedd dim lle i droi ynddi. Cafodd Gwawr hyd i'r ffedog a'i gwisgo amdani. Roedd yn ddigon hir i'w gorchuddio o'i gwddf i'w chrimog. Aeth i nôl y bwced lludw a sylwi mai lled dau gam oedd y buarth cyn bod y wal gochddu a rannai'r tŷ oddi wrth yr rheilffordd, yn cau arno. Allai hi ddim deall pam y byddai neb, hyd yn oed hen wraig mor amlwg gecrus â Mrs Griffiths, yn dewis byw yn y fath le a hithau wedi cael cynnig mynd i lendid a chysur Cartre Heulfryn. Ond doedd o'n ddim o'i busnes hi a throdd yn ôl i'r gegin.

'Fe fydd yn rhaid i chi ddweud wrtha i beth i'w wneud,' meddai. 'Dw i ddim wedi cynnau tân glo o'r blaen.'

'Torcha dy lewys, i fyny dros dy benelinoedd,' oedd y gorchymyn cyntaf . . .

O dan gyfarwyddiadau manwl Mrs Griffiths, fe lanhaodd Gwawr y grât. Gosododd y cnapau hanner llosg ar un ochr er mwyn eu defnyddio eto a gwagiodd gynnwys y twll lludw; rholiodd dudalennau hen bapur newydd yn beli a'u rhoi yn y grât lân, a gosod priciau pren i orwedd drostynt, *firelighter* yn y canol ac ychydig o ddarnau o lo dros y cyfan. Taniodd fatsen a'i chynnig i'r papur . . .

Diffoddodd y fflam ddwywaith cyn i'r coed afael yn iawn a bu'n rhaid iddi hi aildanio yn sŵn twtwtian Mrs Griffiths. Ond, o'r diwedd, dechreuodd y coed glecian a doedd neb yn falchach na Gwawr pan welodd, ymhen hir a hwyr, fod y glo'n dechrau cochi. Teimlodd ei bod wedi cyflawni camp gwerth chweil er iddi dreulio bron i dri chwarter awr wrth y gwaith, a fyddai hynny ddim yn edrych yn dda yn ei ffeil!

'Dyna ti,' meddai Mrs Griffiths yn galonogol, 'fe ddaw rŵan. Gwell i ti fynd i molchi dy ddwylo a dy freichiau yn y cefn.'

Fe dorrwyd crib Gwawr wrth iddi sgwrio'i hun gyda'r brws ewinedd bach y cafodd hyd iddo ar sil ffenest y gegin gefn. Roedd y baw lludw'n glynu fel saim a welodd hi erioed y fath fudreddi dan ei hewinedd. Amheuai a châi hi fyth mohonyn nhw'n lân eto . . . a hithau wedi cael y fath drafferth i'w tyfu a'u ffurfio'n hanner cylchoedd del!

'Be ga i wneud rŵan?' gofynnodd, ar ôl mynd yn ôl i'r gegin.

Edrychodd y llygaid dyfrllyd arni cyn i Mrs Griffiths blygu'i phen.

'Tybed . . . tybed,' gofynnodd, 'wnei di dynnu crib drwy 'ngwallt a'i binio i fyny? Fedrwn i ddim codi 'mreichiau'n ddigon uchel y bore 'ma ac mae'n gas gen i'i deimlo ar 'y ngwar fel hyn . . .'

Llyncodd Gwawr ei phoer. Dyma dasg annisgwyl arall. Teimlai'n gyndyn o gyffwrdd â'r hen wraig. Wedi'r cwbl, roedd yn ddieithr iddi hi ac fe ddylai fod yn Heulfryn. Roedd nyrsys yno wedi'u hyfforddi sut i drin hen bobl. Doedd hi ddim wedi disgwyl y byddai angen iddi hi wneud dim o'r fath beth.

Mae'n rhaid bod Mrs Griffiths wedi sylwi ei bod yn petruso. 'Paid â phoeni,' meddai'n ffwrbẃt, 'gall fod fel y mae am heddiw. Siawns na fydda i uwchben 'y mhethau eto fory.'

'Na, na,' protestiodd Gwawr yn teimlo cywilydd, 'fe wna i. Ystyried ymhle'r oeddech chi'n cadw'ch brws a'ch crib oeddwn i.'

'Maen nhw acw ar y silff-ben-tân,' meddai Mrs Griffiths a sylwodd Gwawr ar grib wedi'i gwthio i mewn i frws gwallt ar un pen i'r silff. Estynnodd amdanynt. Doedd yr un o'r ddau'n arbennig o lân ac roedd llawer o hen flewiach yn dal ynghlwm wrth y ddau. Ond, twt, wfftiodd at ei lledneisrwydd; nid drwy ei gwallt hi y byddai'n eu tynnu!

Plygodd Mrs Griffiths ei phen ymlaen a dechreuodd Gwawr dynnu'r pinnau gwallt o'r cocyn anniben. Synnodd pa mor drwchus oedd y gwallt ac mor esmwyth, fel melfed main, er bod ynddo sawl cwlwm egr. Amheuai na fu crib drwyddo'n iawn ers dyddiau, ac mai dim ond crafu'r haen uchaf i'w osod yn weddol daclus a wnâi'r hen wraig ar y gorau.

'Fyddai o ddim cymaint o drafferth i chi,' meddai, 'pe baech chi'n ei dorri a rhoi pyrm ynddo.'

'Dw i erioed wedi cael pyrm yn 'y mywyd,' meddai Mrs Griffiths yn sych, 'a does dim angen i hogan ifanc ddod yma i ddweud wrtha i sut i edrych ar f'ôl fy hun.'

'Chi oedd yn cwyno'ch bod chi'n cael trafferth i godi'ch breichiau,' brathodd Gwawr, yn synnu at ei hyfdra hi'i hun. Roedd siarad plaen yr hen wraig yn tynnu ymateb llym ganddi, er ei bod hi'n gwybod yn iawn y dylai fod yn gwrtais. Wedi'r cwbl, oni chafodd hynny'i bwysleisio'n gyson gartre?

'Dim ond heddiw,' oedd yr ateb gafodd hi, 'ar ôl tridiau o'r hen dywydd mwll 'ma. Pan fydd yr haul yn gwenu, mi fydda i fel cricsyn.'

Gorffennodd Gwawr dwtio'r gwallt a'i binio'n dynn y tu ôl i ben yr hen wraig. 'Dyna chi,' meddai, 'gobeithio y gwnaiff y tro.'

'Fe fydd yn rhaid iddo wneud y tro,' meddai Mrs Griffiths. 'Dw i'n teimlo'n well yn barod. Mae'n dda dy fod ti wedi dod.'

A dyna'r unig ddiolch gafodd Gwawr. 'Ond dyna ddigon o siarad, i weithio ddest ti, 'nte?'

'Ie,' cytunodd Gwawr, a'i gwefusau'n dynn. Roedd yr hen wraig fel petai'n benderfynol o fod yn dân ar ei chroen hi. 'Ble 'dach chi'n cadw'ch glanhawr?'

'Glanhawr! Does gen i'r un,' oedd yr ateb. 'Codi'r matiau a'u curo nhw'n erbyn wal y cefn fydda i, a sgubo'r llawr. Fe gei di hyd i frws llawr yn y cwts dan staer fan'cw . . .'

Brws llawr a chadach codi llwch! Wedi cael hyd iddyn

nhw, gweithiodd Gwawr yn ddygn ond mewn distawrwydd am gryn hanner awr, heb wybod yn iawn beth i'w ddweud wrth yr hen wraig lem ei thafod. Syllai Mrs Griffiths i'r tân a rhwbio'i dwylo yn awr ac yn y man, ond hyhi dorrodd ar y tawelwch yn y diwedd. 'Gad y pethau mân am heddiw,' cynghorodd, pan ddaeth Gwawr at y silff-ben-tân. 'Mae unwaith yr wythnos yn ddigon aml i'w tynnu nhw i lawr a chaiff y Mrs Best 'na sy'n dod dydd Gwener eu dwstio nhw. Mae'r amser yn cerdded a dw i'n siŵr yr hoffet ti baned fach cyn mynd i'r ysgol.'

'Dim diolch,' atebodd Gwawr, wedi dychryn. Doedd hi ddim yn un i slotian paned ar y gorau, ac roedd meddwl am rannu paned gyda'r Mrs Griffiths yma ac efallai meithrin perthynas agosach â hi, yn ormod iddi. Roedd yn wir bod golwg siriolach ar y gegin rŵan bod y tân yn llosgi a'r gwaetha o'r llwch wedi'i godi—ond yfed te fel ffrindiau mawr? Na, wnâi hi ddim. Roedd pen draw i ddyletswydd, hyd yn oed wrth baratoi at arholiad. 'Does dim syched arna i ond fe wna i un i chi os leiciwch chi.'

'Byddai hynny'n dderbyniol iawn ac os wyt ti am ddod bob wythnos am gyfnod, cystal i ti ddysgu lle dw i'n cadw popeth.'

Dw i ddim yn siŵr a fydda i'n dod bob wythnos, meddyliodd Gwawr. Doedd hi ddim wedi cael llawer o bleser wrth ei gwaith y bore hwnnw, a phe bai Mr Phillips mewn hwyliau da, efallai y gofynnai iddo a oedd rhywbeth arall ganddo i'w gynnig. Ar ôl dwy awr teimlai iddi hi roi prawf teg ar 5 Stryd y Bont . . .

Yn y cefn roedd y tegell trydan a'r tebot.

'Ble mae'r te?' gofynnodd.

'Yn y cadi ar y silff-ben-tân.'

Teimlodd Gwawr wres y tân yn serio'i braich wrth iddi hi estyn am y cadi a chofiodd beth a ddysgodd yn ei Gwersi Diogelwch yn y Cartre. 'Ddylech chi ddim cadw'r rhain fa'ma,' meddai'n awdurdodol, 'rhag ofn i chi syrthio a llosgi.'

'Dysgu dy nain i ganu wyt ti?' oedd ei hymateb anniolchgar.

Felly, ddywedodd hi ddim mwy er ei bod hi'n mwmian yn chwyrn dan ei hanadl wrth gymryd dau fag te a mynd â nhw trwodd i'r gegin fach lle'r oedd y tegell yn dechrau canu. Pan ddaeth yn ôl, roedd Mrs Griffiths yn stryffaglio i godi o'i chadair. Câi'r fath drafferth nes i Gwawr roi'r tebot i lawr a mynd i'w helpu, ond fynnai'r hen wraig ddim help. 'Fe ddo i i ben yn iawn, dim ond cael amser,' mynnai.

Yn boenus o araf, aeth at gwpwrdd yn y gilfach oedd un ochr i'r lle tân. Estyn tun o laeth wedi'i dewychu roedd hi am ei bod hi'n gyndyn iawn i Gwawr gael edrych yn ei chwpwrdd bwyd. Allai Gwawr ddim deall pam, os nad oedd arni gywilydd o gynnwys y cwpwrdd . . .

'Siwgwr a llaeth yn un, mae'n arbed trafferth,' eglurodd Mrs Griffiths, a'i llaw'n cau'n boenus o gwmpas y tun. Sylwodd Gwawr ar y drafferth a gâi i blygu'i bysedd o'i gylch ac, ar ôl iddi hi lwyddo, fe grynai'i llaw dan yr ymdrech o'i ddal.

'Wnei di estyn y tun bisgedi o ben y seidbord?' gofynnodd. 'Mae chwant bisged bach arna i heddiw,' meddai wrth gripian 'nôl i'w chadair a suddo iddi'n ddiolchgar. Roedd yn amlwg i'r ymdrech bron a'i llethu.

Estynnodd Gwawr yn ufudd. Efallai na chawsai'r hen wraig frecwast, meddyliodd yn ddiflas, ond petrusai rhag gofyn. Roedd mor hawdd ei digio. Cysurodd ei hun wrth gofio'r briwsion ar y llawr. Doedd bosib eu bod nhw 'di bod yn gorwedd ers ddoe! O'r seidbord y cafodd gwpan a soser a llwy o ddrôr fach yn y bwrdd.

'Rho'r tebot ar y ffendar lle galla i estyn amdano'n hawdd,' meddai Mrs Griffiths. 'Bydd angen mwy nag un baned arna i.'

Diolchodd am y baned gynta a mwydo'i bisgedi ynddi. Allai Gwawr ddim diodde'i gweld yn sugno mor awchus. Diflannodd ei chydymdeimlad â'r hen wraig wrth i'r sŵn sugno godi cyfog arni.

'Mae'n rhaid i mi fynd rŵan,' meddai'n frysiog, 'neu bydda i'n hwyr i 'ngwers nesa.'

'Ti ŵyr dy bethau.'

Tynnodd Gwawr ei hofyról a'i rhoi yn ei bag a chodi hwnnw dros ei hysgwydd. Er gwaetha tymer gecrus yr hen wraig, roedd cydwybod Gwawr yn ei phoeni wrth ffarwelio â hi a sylwi ar yr olwg ddiymgeledd oedd arni'n magu'i phaned yn yr hen gadair fawr.

'Fyddwch chi'n iawn am eich cinio?' gofynnodd.

'Wrth gwrs y bydda i. Mae heddiw'n ddydd Mercher a'r Prydau Parod yn galw. Fe ga i ginio gwerth chweil. Ond tybed a elli di rhoi cnepyn neu ddau ar y tân, i'w gadw i fynd drwy'r prynhawn?'

Baeddodd Gwawr ei dwylo unwaith eto wrth ufuddhau ond fynnai hi ddim oedi i 'molchi. 'Fe a' i rŵan,' meddai.

'Ie, dos di. A brysia yma eto, rwyt ti'n well gweithwraig fach nag a dybiais i pan gyrhaeddest ti gynta.'

Llyncodd yn swnllyd o'r gwpan a dihangodd Gwawr am ei bywyd. Er i'r ganmoliaeth ei phlesio, bu'n grwgnach dan ei hanadl bob cam yn ôl i'r ysgol. Mynnai ofyn i Mr Phillips am ryw waith arall gynted fyth ag y medrai. Roedd ganddi ddigon o le i achwyn . . . O, oedd. Fyddai ond angen iddi hi ddangos ei hewinedd iddo. Doedd yna ddim rheol oedd yn mynnu ei bod yn rhaid iddi wneud gwaith budr at ei arholiad, nac oedd?

2

Mae'n ddigon posib y byddai Gwawr wedi gofyn am gael newid ei gwaith maes oni bai am Mared a Sioned. Pan gyrhaeddodd yr ysgol y bore Mercher hwnnw, doedd dim mwy na munud neu ddau ar ôl o'r egwyl. Doedd dim ond digon o amser i fynd i'r toiled, sgrwbio'i hewinedd dan y tap a stwffio Kit Kat i'w cheg, cyn prysuro i'r wers Hanes. Doedd Hanes ddim yn un o'i hoff bynciau. Ei ddewis yn niffyg dim byd gwell a wnaeth hi. Ac roedd Luned Bengoch, yr athrawes Hanes, yn ymgorfforiad perffaith o dymer wyllt y pennau cochion. Y diwrnod hwnnw dyma hi'n rhybuddio'r dosbarth bod disgwyl iddyn nhw gyflwyno ffeil o'u gwaith ymchwil oedd i'w asesu at yr arholiad allanol ymhen dwy flynedd. Ac yn wahanol i Mr Phillips, oedd wedi dewis eu gwaith maes ar ran ei disgyblion, awgrymu pynciau addas yn unig a wnaeth Luned Bengoch a rhoi wythnos neu ddwy iddyn nhw ystyried cyn dewis yn derfynol.

'Gore i gyd os oes cysylltiad lleol,' meddai, 'er mwyn i chi gael tynnu lluniau a chwilota. Bydd tudalennau wedi'u copïo'n slafaidd allan o lyfr yn dda i ddim. Nid prawf ar lawysgrifen ydi'r prosiect yma.'

A hithau'n hawlio'u sylw gydol y wers, fu dim cyfle i gyfnewid profiadau am weithgareddau'r bore, ond pan ganodd y gloch ginio, dyma'r llifddorau'n agor. Doedd dim taw ar Mared a Sioned. Chafodd Gwawr ddim cyfle i daro'i phig i mewn am hydoedd.

Broliai Mared ei gwaith yn yr Ysgol Feithrin gan ei chanmol ei hun i'r cymylau. Roedd hi wedi dysgu hwiangerdd newydd i'r plant, 'Fuoch chi 'rioed yn hwylio?'; wedi adrodd stori 'Yr Iâr Goch a'r Cadno' wrthyn nhw ac wedi'u helpu i lunio nythod allan o *blasticine.* Ac ar ôl hynny i gyd roedden nhw'n dal wedi rhoi cusan iddi . . . Clywai Gwawr ei hun yn troi'n wyrdd gan eiddigedd wrth wrando arni. Fe fyddai hi wedi hoffi cael tolach y plant a derbyn cusan yn dâl. Cymaint gwell fyddai hynny na derbyn gorchmynion hen wraig a gorfod brathu'i thafod rhag iddi ei hateb yn ôl yn siarp . . . Siawns na fyddai hi wedi medru cael hyd i hwiangerdd a mwy o fynd ynddi hefyd . . . Ond doedd ganddi ddim gobaith disodli Mared bellach a hithau wedi cael y fath hwyl arni.

Chafodd Sioned ddim tendio ar y plant yn yr ysbyty. Ei gwaith hi oedd mynd â throli o de a choffi i'r cleifion allanol a fynychai'r gwahanol glinigau. Gwnaeth fôr a mynydd o'i holl ddyletswyddau, waeth pa mor bitw; sawl gwaith y bu'n rhaid iddi hi ail-lenwi'r yrnau, sawl pecyn o fisgedi y bu'n rhaid iddi hi eu hagor, faint o siwgr roedd rhai'n cymryd yn eu te. A dim ond rhagymadrodd oedd hwnnw i'w phrif stori. Ymhlith y cleifion yn stafell aros yr adran pelydr-X, daeth ar draws rhyw bisyn ffab o lanc deunaw oed â chlustlws aur mewn un glust. Roedd ei wallt hir wedi'i dorri'n agos i'w benglog yn y tu blaen ac wedi'i gadw'n hir y tu ôl a'i hel mewn pleth. Fe gymerodd o ddwy baned ganddi ac estyn punt i dalu amdanynt gan ddweud wrthi y câi gadw'r newid ond iddi eistedd ar ei lin am bum munud—'I achub y bore rhag iddo droi'n gwbl ofer!'

'A phawb yn gwrando ac yn gwneud sylwadau!' meddai Sioned gan gymryd arni ei bod yn swil. 'Y creadur haerllug, rown i bron â disgyn drwy'r llawr . . . ond mi roedd ganddo'r wên hyfryta . . . dannedd cryf, gwyn . . . Gobeithio y bydd o yno'r wythnos nesa . . .' A dyna obaith Gwawr o gael cyfnewid â hi wedi mynd i'r gwellt. Bu hi a Mared yn tynnu coes Sioned am dipyn ac yna, ar ganol yr afiaith, fel 'tai hi newydd gofio rhywbeth dibwys, meddai Mared, 'Be amdanat ti, Gwawr? Sut hwyl gest ti?'

Brathodd Gwawr ei thafod. Doedd ganddyn nhw ddim gwir ddiddordeb yn ei phrofiadau hi, roedden nhw mor llawn o'u hunain. A chydymdeimlad ffug a gâi pe bai'n achwyn; doedd hi ddim am eu diflasu. Er hynny, roedd hi'n rhy onest i ganmol ei bore, 'Go lew,' meddai'n gwta. 'Jyst helpu'r hen wraig.'

'Ych,' giglodd Sioned, 'fe alla i ddychmygu—dos i nôl hwn, dos i nôl y llall. Dydi hwnna ddim yn plesio, gwna fo eto . . .'

'Doedd hi ddim cynddrwg â hynny,' meddai'n ddiffuant, er syndod iddi hi'i hun. Gallai fod wedi llyncu'i thafod wrth i'r geiriau ddianc o'i cheg. 'Ac fe ddysgais i *lot* . . .' A doedd hynny ddim yn gelwydd chwaith, pe bai ond sut i gynnau tân.

Oedd, roedd ei thynged wedi ei selio. Wedi canu clod y lle wrth Mared a Sioned, allai hi ddim wir achwyn wrth Mr Phillips na mynnu newid y gwaith. Gyda Mrs Griffiths y byddai hi bellach tan ddiwedd ei phrosiect oni allai feddwl am gynllun arall i'w rhyddhau'i hun . . . Syrthiodd ei chalon.

* * *

Gwnaeth Gwawr yn siŵr fod y ffeil newydd a gafodd gan Mr Phillips i gofnodi'r gwaith maes, yn ei meddiant pan aeth adre'r prynhawn hwnnw. Roedd hi am nodi popeth cyn iddi anghofio dim. Roedd ei hysbryd wedi codi ychydig erbyn hyn. Pe bai Mr Phillips yn dod i ddeall mor druenus oedd amgylchiadau Mrs Griffiths, o bosib y byddai'n trefnu i'r awdurdodau fynnu ei bod hi'n mynd i fyw i Heulfryn a châi hi wedyn gyflawni gorchwyl mwy dymunol. Felly roedd yn bwysig bod y disgrifiad o'r tlodi a welsai'n fanwl iawn.

Wedi disgyn oddi ar y bws a cherdded i'r tŷ, allai hi ddim peidio â chymharu'i chartre hi â 5 Stryd y Bont. Safai Afallon, yn dŷ mawr lliw hufen ar ei ben ei hun, gyda lawnt o'i flaen a border blodau o amgylch honno. Roedd ffenestri bwaog i'r lolfa a'r llofft flaen ac roedd yna gysgod uwch y drws. Byddai John yn paentio'r tu allan bob tair blynedd, er mwyn ei gadw'n drawiadol o lân, ac er mwyn i Sylfia arbrofi gyda gwahanol liwiau ar y gwaith pren. Ar hyn o bryd glas tywyll a gwyn a ddewiswyd a hwnnw'n disgleirio yn haul y prynhawn.

Pedair mlwydd oed oedd hi pan ddaeth i Afallon gyntaf. Roedd hi wedi'i magu mewn Cartre i Blant Amddifaid, ond ni chofiai lawer am y Cartre heblaw am yr oglau cŵyr a dreiddiai i bob cornel o'r stafell fwyta fawr. Byddai'r plant yn bwyta o gwmpas bwrdd hir; Mrs Powel, y prif ofalydd, yn eistedd yn un pen i'r bwrdd, yn eu hannog hwy'r plant i beidio â chwarae gyda'u bwyd ac i fwyta'r cyfan a gwagu'u platiau'n daclus. Cofiai hefyd gysgu mewn gwely morwr a gorfod dringo i fyny ato dros ysgol fach, ond doedd hi ddim yn cofio enwau'r merched a gysgai yn yr un stafell â hi . . .

Cofiai'i phen blwydd yn bedair mlwydd oed. Roedd cacen wedi cael ei pharatoi i ddathlu'r achlysur, cacen â siwgr pinc ar ei phen a phedair cannwyll a ddisgleiriai fel sêr unwaith iddynt gael eu cynnau. Doedd hi ddim am eu chwythu allan nac am i Mrs Powel dorri'r gacen i'w rhannu. Roedd hi am ei chadw fel ag yr oedd, yn dlws ac yn gyfan am byth.

Rywbryd wedi hynny y cafodd fynd am drip i'r dre gyda phobl glên a ddaethai i ymweld â'r Cartre un prynhawn. Mr a Mrs Wilkins oedd eu henwau. Cofiai iddi gael ei thywys allan i'r car mawr a'i rhoi i eistedd yn y cefn gan edrych allan drwy'r ffenest a chodi'i llaw ar bawb ar y ffordd—er mwyn iddyn nhw sylwi arni'n cael ei chludo yn y fath steil. Fe aethon nhw i gaffi i gael te ac fe gafodd hi'r dewis cyntaf o'r cacennau bach melys ar y plât.

Y cam nesaf, ar ôl y trip i'r dre, oedd cael dod i Afallon ar wyliau. Cofiai'r cynnwrf wrth helpu i bacio'i phethau mewn bag plastig—dillad glân, sliperi newydd, bag i gynnwys taclau ymolchi ac Eli Lwyd, wrth gwrs. Eliffant tegan oedd Eli Lwyd a gafodd yn anrheg Nadolig pan oedd hi'n fach iawn, medden nhw. Doedd hi ddim yn cofio'i gael, ond gwyddai ei fod ganddi o'r dechrau un, a meddyliai'r byd ohono. Hoffai feddwl mai ei mam naturiol a'i rhoddodd iddi ac wrth ei fagu byddai'n dychmygu sut un oedd honno. Âi ag Eli i'r gwely gyda hi bob nos ac eisteddai ar ei harffed bob pryd bwyd. Fo oedd ei chyfaill gorau ac ni fynnai ei adael ar ôl yn y Cartre wrth fynd ar ei gwyliau am y tro cyntaf erioed . . .

Teimlodd y boen arferol a ddôi i'w bol bob tro y cofiai am Eli Lwyd, ond ddigwyddodd dim byd annymunol yn ystod y gwyliau hynny, ac ymdrechodd i wthio atgof arall, un atgas iawn, o'i meddwl a chanolbwyntio ar ei phrofiadau melys . . .

Roedd hi wedi mwynhau'r ymweliad â'r caffi. Ond doedd hi ddim mor siŵr, wrth sefyll yng nghyntedd y Cartre a'i bag wrth ei thraed yn aros i rywun alw amdani, a oedd hi mor awyddus i fynd ar ei gwyliau. Doedd hi ddim yn siŵr a oedd hi am gysgu mewn lle dieithr.

Rhyddhad iddi oedd gweld Mrs Rhys yn dod i'w hebrwng. Byddai Mrs Rhys yn galw yn y Cartre bob hyn a hyn i holi'r plant a oedden nhw'n hapus ac i siarad â Mrs Powel. Roedd Gwawr yn fwy cyfarwydd â Mrs Rhys nag â Mr a Mrs Wilkins a theimlai'n fwy cartrefol yn eistedd yng nghefn y car bach diolwg yn magu'i bag gan wasgu Eli Lwyd at ei bron, nag a wnaethai yn y car mawr. Nogiai'r car wrth i Mrs Rhys geisio tanio'r peiriant. Wrth aros, roedd Gwawr yn hanner gofidio y byddai'n colli'i gwyliau ac yn hanner gobeithio na wnâi'r car gychwyn, fel y câi fynd yn ei hôl i eistedd rownd y bwrdd mawr i gael brechdan jam amser te gyda Mrs Powel a'r plant eraill.

Teimlai gywilydd wrth feddwl iddi nogio ar y funud olaf a glynu'n dynn wrth Mrs Powel; ond fe addawodd honno y byddai'n cael dod adre ymhen pythefnos, a phwysleisiodd mor lwcus yr oedd hi o gael gwyliau gyda phobl mor hyfryd.

Ymhen hir a hwyr, cychwynnodd y car ac i ffwrdd â nhw drwy'r strydoedd ac allan i'r wlad ac i dre ddieithr. Bu'n rhaid i Mrs Rhys aros ddwywaith ar y ffordd er mwyn gofyn i bobl am gyfarwyddyd i gael hyd i'r stryd, ond fe gyrhaeddon nhw yn y diwedd.

'Wir, mi rwyt ti'n hogan lwcus,' oedd ei sylw wrth arwain Gwawr at y drws ffrynt. Agorwyd y drws gan Mrs Wilkins. Cyn dweud dim, tynnodd Gwawr i'w breichiau a'i gwasgu'n dynn i'w mynwes a rhoi clamp o gusan iddi. Roedd yr anwes yn annisgwyl a theimlai Gwawr ei hun yn crebachu i gyd. Sythodd ei chorff. Doedd hi ddim yn siŵr a oedd hi am gael ei chusanu gan neb. 'Slobran' fyddai'r plant yn y Cartre yn galw'r fath gusanu mawr . . . Aeth Mrs Wilkins â nhw ill dwy, hyhi a Mrs Rhys, i'r llofft er mwyn dangos y stafell roedd hi wedi'i pharatoi ar ei chyfer. Collodd Gwawr ei hanadl wrth weld pa mor dlws oedd honno, yn binc ac yn wyn i gyd. Roedd y carped, hyd yn oed, yn binc, ac ym mhen draw'r stafell roedd stafell fach arall a chawod, sinc a thoiled ynddi a'r rheiny i gyd yn binc, ac roedd rhosod bach yn batrwm dros y sinc. Ar sil ffenest y stafell wely roedd bowlen o flodau o bob lliw a llun. Cofiai iddi sbio gan wasgu Eli Lwyd dan un fraich a sugno'i bawd.

'Yma byddi di'n cysgu, del,' meddai Mrs Wilkins. 'Wyt ti'n ei hoffi?'

Allai hi wneud dim mwy na nodio'i phen. Roedd ei llais wedi diflannu.

'Wrth gwrs ei bod hi,' gwenai Mrs Rhys. 'Mae hi'n hogan fach lwcus iawn.' Edrychodd Gwawr arni. Roedd hi'n dweud 'lwcus' o hyd ac o hyd.

'Gad dy fag,' meddai Mrs Wilkins wrth Gwawr, 'ac fe awn ni i gael te. Arhoswch chi i gael te gyda ni?' gofynnodd i Mrs Rhys. 'Mae o'n barod.'

'Hoffwn i, wir, ond mae'n rhaid i mi fynd. Mae gen i dri neu bedwar o alwadau eraill i'w gwneud eto cyn gorffen,' eglurodd honno.

'Dyna ni felly,' meddai Mrs Wilkins. 'Fe ddo i i'ch hebrwng at y drws. Caiff Gwawr aros yma am funud ar ei phen ei hun, i gynefino.'

Aeth y ddwy tua'r drws a sbiodd Gwawr ar eu hôl.

Oedd Mrs Rhys am fynd a'i gadael yma gyda'r Mrs Wilkins honno oedd yn gwneud cymaint o ffws? Oedd! Roedd hi eisoes yn mynd i lawr y grisiau. Gwasgodd Eli Lwyd yn dynnach ati ond ni symudodd gam ymhellach i'r stafell.

Toc daeth Mrs Wilkins yn ei hôl. 'Tyrd,' meddai hi'n sionc gan afael yn ei llaw. 'Fe rown ni dy bethau heibio. Fyddwn ni ddim yn hir.'

Arllwysodd gynnwys y bag plastig ar y gwely yn un twmpath blêr; y sgert orau a'r crys-T â llun o Mickey Mouse ar y blaen, a'r dillad isaf yr oedd Mrs Powel wedi'u plygu mor ofalus. Yn gyflym, rhoddodd Mrs Wilkins y sanau a'r dillad isaf mewn un drôr, cotiau bach gwlân mewn drôr arall. Ac o hyd ac o hyd, wrth fynd heibio iddi, byddai'n cyffwrdd â Gwawr, yn tynnu'i llaw dros ei gwallt neu'n anwesu'i boch. Doedd neb wedi ymddwyn felly tuag ati o'r blaen, gwelai o'n od a theimlai ei hun yn mynd i'w chragen. Pam roedd Mrs Wilkins am gyffwrdd â hi o hyd? Sylwodd fod gormod o le i'w phethau hi yn y droriau a'r cypyrddau a chododd ei chalon.

'Pwy arall sy'n dod?' gofynnodd, gan obeithio cael cwmni i rannu sylw'r wraig hon.

Ond chwarddodd Mrs Wilkins. 'Neb, 'y nghariad i,' meddai, yn ei gwasgu ati eto. 'Dy stafell di ydi hon a fydd dim angen i ti ei rhannu efo neb. Rŵan 'ta, 'molchi nesa, a the.'

Fe gipiodd Eli o ddwylo Gwawr a'i rhoi ar y gwely. Doedd Gwawr ddim am ollwng Eli ond roedd arni ofn protestio mewn lle dieithr. Doedd Mrs Wilkins ddim am ddefnyddio'r clwtyn ymolchi na'r sebon a ddaeth hi gyda hi chwaith.

'Dw i wedi cael rhai arbennig i ti,' meddai, wrth ei harwain i'r stafell fach ymolchi. Yno, ar y bowlen roedd clwtyn pinc meddal a sebon siâp rhosyn ac oglau hyfryd arno. Cofiai fel y cododd ei dwylo at ei thrwyn sawl gwaith y noson honno er mwyn clywed yr oglau da a lynai wrthynt fel persawr.

Wedi ymolchi a sychu mewn lliain â phatrwm o rosynnod drosto, gafaelodd Mrs Wilkins yn ei llaw. 'Lawr â ni,' meddai. 'Mae'n amser bwyd. Dw i'n meddwl i mi glywed John yn cyrraedd.'

Estynnodd Gwawr am Eli Lwyd.

'Dwyt ti ddim eisie'r hen beth 'na,' gwaredai Mrs Wilkins, 'ddim wrth fwyta.'

Yr hen beth 'na! Tynhaodd ei gafael ond teimlai'n ansicr. Cartre Mrs Wilkins oedd o ac roedd un o glustiau Eli wedi'i rwygo a'i gôt wedi treulio'n dwll mewn un man . . .

Gollyngodd o i afael Mrs Wilkins. Gosododd hi o'n ôl ar y gwely. 'Fe fydd yn berffaith hapus yma,' meddai'n hyderus a chydio yn llaw Gwawr a'i harwain i lawr.

Dyna'r tro cyntaf i Gwawr gofio cael pryd o fwyd heb Eli . . . ond welodd hi mo'i angen y prynhawn hwnnw gan fod cymaint o ddanteithion ar y bwrdd i'w themtio, a Mr a Mrs Wilkins yn gwenu arni ac yn gwneud pob dim i beri iddi deimlo'n gartrefol.

Wedi ei rhoi i eistedd, 'Mae hi wedi colli'i thafod,' meddai Mrs Wilkins, yn chwareus.

'Esgeulus iawn,' cymerodd Mr Wilkins arno wgu. 'Gobeithio'i bod hi wedi bod yn fwy gofalus o'i harchwaeth. Dewch i ni gael gweld.' Cynigiodd iddi frechdan o fara meddal ac arni drwch o fenyn.

Roedd chwant bwyd arni ac estynnodd amdani'n awchus a'i phlygu'n barod i'w bwyta. Ond pan oedd hi ar fin plannu'i dannedd i'r frechdan, cofiodd beth yr oedd

Mrs Powel wedi'i dysgu i'w ddweud. 'Diolch Mr Wilkins,' meddai'n gwrtais.

'John,' cywirodd yntau, 'nid Mr Wilkins, a Sylfia 'di nacw,' gan gyfeirio at ei wraig.

A dyna sut y bu iddi hi, bron o'r cychwyn, eu galw wrth eu henwau bedydd.

Aeth y bythefnos heibio'n gyflym gyda rhywbeth newydd i'w wneud bob dydd. Roedd Sylfia a John wedi cymryd gwyliau o'u gwaith er mwyn ei difyrru. Cafodd fynd i'r sw yng Nghaer, i lan y môr yn y Bermo ac yn Llandudno, mewn cwch ar gamlas Llangollen, ac am bicnic i'r mynydd, heb sôn am ymweld â'r dre a mynd o gwmpas y siopau a chwarae yn y parc. Chofiai hi ddim i ble'r aethon nhw i gyd ond cofiodd iddi hi fwynhau. Bob nos byddai'n cael cawod yn ei hystafell ymolchi fach hi'i hun a bob yn ail ddiwrnod câi olchi'i gwallt. Cafodd hefyd swp o ddillad newydd.

'Does dim hwyl mewn cerdded siopau heb brynu rhywbeth,' meddai Sylfia, gan estyn am ddilledyn bach arall oddi ar y rheil yn siop Snob.

Sylfia fyddai'n ei rhoi yn ei gwely ac wedi iddi dynnu'r gwrthban at ei gên byddai John yn ymuno â nhw i adrodd stori. Cyn ei gadael byddai Sylfia'n ei gwasgu ati a'i chusanu. Chafodd Gwawr erioed gymaint o sylw yn ei holl fywyd. Ond ddaeth hi fyth i ddygymod â chael ei hanwesu cymaint ac ambell noson glynai'n dynnach nag erioed yn Eli Lwyd. Roedd o wedi bod yn rhan o'i bywyd hi erstalwm a doedd hi ddim yn siŵr pa mor hir y parhai'r holl foethau a gâi yma yn Afallon.

Eli Lwyd oedd achos yr unig chwithdod ar hyd y bythefnos. Doedd Sylfia ddim yn ei hoffi a phrynodd dedi bêr pinc iddi ar y trip i Landudno. 'Yr un pinc â'r carped yn dy stafell wely,' meddai. 'Ac yn hyfryd o feddal.'

Wedi dod adre gwnaeth ei gorau i gael Gwawr i ffeirio Eli Lwyd am y tedi. Ben oedd ei enw, meddai hi. Ond wnâi Gwawr mo'i ffeirio. Roedd hi ac Eli wedi bod yn ffrindiau'n rhy hir iddi ei droi heibio, Eli oedd ei theulu. Fyddai neb yn ffeirio brawd neu chwaer, na fydden nhw?

'Rwyt ti'n beth bach digon styfnig,' meddai Sylfia gyda gwên ond deallodd Gwawr ei bod hi wedi'i siomi. Doedd hi ddim wedi bwriadu gwneud ond teimlodd yn euog 'run fath.

Er mwyn unioni'r cam byddai'n magu Ben tra byddai Sylfia neu John yn yr ystafell, ond unwaith iddyn nhw fynd byddai'n ei roi o'r neilltu ac yn tynnu Eli o'i guddfan wrth droed y gwely. Wrth anwesu Eli, gwyddai y byddai hi'n ddiogel drwy'r nos—allai hi ddim bod lawn mor siŵr o Ben.

Bu'n rhaid iddi hi fynd yn ôl i'r Cartre ymhen pythefnos ond ddim am gyfnod hir iawn. Roedd Sylfia a John wedi penderfynu ei mabwysiadu ac roedd yr awdurdodau'n fodlon. Chofiai hi ddim a gafodd hi ddewis ai peidio. Digon posib iddi gael ond roedd hi'n rhy ifanc i ffurfio barn. Beth bynnag, cofiai iddi gael ei swyno'n fawr gan yr holl foethau a gawsai yn Afallon.

Dyna sut y daeth hi i fyw at Sylfia a John, a chan ei bod hi'n ddigon hen i wybod nad y nhw oedd ei thad a'i mam naturiol, fu dim lletchwithdod erioed wrth orfod egluro hynny wrthi.

Roedd hi'n dal yn yr ysgol fach pan drafododd John a Sylfia eu rhesymau dros ei mabwysiadu hi. 'Roedden ni'n teimlo gwacter yn ein bywyd heb blentyn,' meddai John.

'Ac am fod gennym ni dŷ a digon o le ynddo fo, dyma

benderfynu chwilio am rywun i'w rannu efo ni,' cyfrannodd Sylfia.

'Ac o'r holl blant a welson ni,' meddai John, 'ti oedd yr un wnaethon ni ddewis.'

'Pam?' gofynnodd Gwawr, yn ddifrifol iawn.

Chwarddodd John. 'Wn i ddim, efallai am dy fod ti'n ddigri efo dy drwyn smwt, dy fochau coch fel falau, a dy wallt du fel y frân.'

Derbyniodd hynny, er y byddai'n well ganddi glywed iddyn nhw ei chymryd oherwydd ei bod hi mor ddel—ond doedd hi ddim yn ddel.

Rywbryd wedi hynny y gofynnodd i Sylfia pam na chafodd hi fabi ei hun. Cofiai wyneb Sylfia yn chwalu'n graciau i gyd wrth geisio egluro iddi hi unwaith gael babi, geneth fach, ac i honno farw yn ei chrud yn saith wythnos oed.

'Allwn i ddim diodde colli plentyn arall,' meddai'n floesg.

Wedi'r sgwrs honno, teimlai Gwawr, er na chrybwyllodd neb hynny wrthi erioed, ei fod yn gyfrifoldeb arni hi i lenwi'r lle a adawyd gan y babi a fu farw. Ceisiodd wneud pob dim i blesio Sylfia a John, ond ofnai o hyd nad oedd hi'n ddigon da, a phan anogai un ohonyn nhw hi i neidio i'w breichiau neu ddringo i'w gôl, allai hi ddim. Allai hi ddim derbyn anwes a berthynai i blentyn arall, yn ei thyb hi.

Er gwaetha'i theimladau, anaml iawn y bu'n hiraethu am y Cartre wedi iddi symud i Afallon. Roedd cymaint i'w wneud a bu John a Sylfia yn garedig wrthi. Theimlodd hi erioed mewn angen. Roedd digon o arian ganddyn nhw i sicrhau y câi hi bob dim. Roedd John yn gyfrifydd mewn ffatri gemegau, tra gweithiai Sylfia fel rheolwr *boutique* ffasiynol.

Os rhywbeth, roedd Sylfia'n or-ofalus ohoni, yn gwneud yn siŵr ei bod hi'n bwyta'n iach ac yn cael digon o ffrwyth a salad a thatws drwy'u crwyn. Ar y slei y prynai Gwawr ambell becyn o sglods. Câi ddigon o ddillad da a mwy na digon o deganau. Cafodd fynd ar bob trip ysgol a digon o bres gwario yn ei phoced i fwynhau ei hun i'r eitha a chafodd barti pen blwydd bob blwyddyn gan wahodd faint a fynnai o'i ffrindiau. Chafodd hi mo'i churo erioed gan yr un ohonynt er y gwyddai'n iawn ei bod yn haeddu slapen ambell dro.

Y hi ddylai fod y plentyn hapusa yn y dre, ac mi roedd hi'n hapus iawn ambell waith. Ond ni allai anghofio mai cymryd lle plentyn arall yr oedd hi, a mynnai'r hen deimlad o fod yn annigonol bwyso arni o bryd i'w gilydd. Hoffai pe bai hi'n ddelach ac yn fwy galluog fel y gallen nhw frolio yn ei chylch a theimlo'n falch ohoni, ond doedd hi ddim, gwaetha'r modd. A'u siomi a wnâi dro ar ôl tro.

Dyna'r ddrama Nadolig pan oedd hi yn yr ysgol fach. Fe fyddai wedi hoffi bod yn angel gan fod yr angylion yn cael gwisgo gown wen a rhimyn arian i'w hadenydd a charbord wedi paentio'n arian ar eu pennau. Ond chafodd hi ddim bod yn angel. Yn lle hynny, cafodd fod yn un o wragedd y pentre. Cafodd wisgo i fyny ac roedd ganddi un llinell i'w dweud ar ei phen ei hun, 'Pwy 'di rhain sy'n dod ar hyd y stryd?' Dyna i gyd ac roedd yn ddigon.

Fe ddaeth John a Sylfia i'r perfformiad. Roedd hi mor awyddus i'w plesio, nes iddi ganolbwyntio'n rhy galed ar y geiriau, ac anghofio pa bryd i'w llefaru. Eu dweud yn rhy fuan wnaeth hi. Fyddai neb wedi sylwi heblaw bod Catrin wedi cyhoeddi dros bob man, 'Nid rŵan, pan fydd Mair a Joseff wedi mynd heibio'r drws wyt ti fod i ddweud hynna'. Chwarddodd pawb ond synhwyrai, pan oedden nhw'n sôn am y ddrama yn y car ar y ffordd adre, iddi siomi Sylfia a cherddai â'i phen yn ei phlu am ddyddiau wedyn.

Cychwyn yn unig oedd hwnnw. Roedd Sylfia yn ffwdanu cymaint yn ei chylch fel y byddai wedi'i lapio mewn gwlân cotwm pe meddyliai y gwnâi hynny rhyw les iddi! Pan fyddai'n mynd i gystadlu yn Eisteddfod yr Urdd gyda'r côr plant, byddai Sylfia yn mynd â phâr o sanau gwyn glân gyda nhw er mwyn i Gwawr gael newid ac ymddangos ar ei gorau ar y llwyfan. Ond nid beirniadu lliw sanau oedd gwaith y beirniad. Aeth y côr erioed ymhellach na'r Eisteddfod Sir a chafodd Gwawr mo'r cyfle i gystadlu ar ei phen ei hun—er mawr rhyddhad iddi. Sylfia oedd yn ei gwthio a pheri iddi deimlo'n lwmp analluog.

Yr un oedd yr hanes yn yr Ysgol Uwchradd; canolig oedd hi ym mhob dim. Doedd dim arbenigrwydd yn perthyn iddi a theimlai i'r byw ambell waith, nad oedd hi'n llenwi'r bwlch fel y bwriadwyd iddi wneud. Felly, pan esgynnai Sylfia ati i'w hanwesu, parai ei thyndra iddi sythu a dal ei chorff yn stiff.

Wrth iddi hi dyfu'n hŷn, ciliai fwyfwy i'w hystafell, gyda'r esgus bod ganddi lawer o waith cartre. Ceisiai osgoi pob holi gan lynu'n dynnach nag erioed yn Eli Lwyd. A phan gofiai am Eli rŵan, clymai gortynnau ei stumog yn boenus o dynn.

Y dydd Mercher hwnnw, wedi mynd i'r tŷ ac i'w llofft, aeth Gwawr ati i gofnodi'i phrofiadau yn 5 Stryd y Bont, ac wrth weithio'n galed, ffrwynodd ei chof a thawelu'r teimladau cymysg o'i mewn.

Ar ôl gorffen ei Chymdeithaseg, bu'n pendroni'n hir dros awgrymiadau Luned Bengoch ynglŷn â'r prosiect Hanes hefyd. Roedd yna gymaint o ddewis, ond dim byd oedd yn apelio rywsut. A phan ofynnodd i John am gyfarwyddyd, nes ymlaen y noson honno, doedd ganddo ddim gwell i'w gynnig na Chychwyn yr Achos Fethodistaidd yn yr ardal. Roedd hyn, mae'n debyg, am fod hen ewythr iddo fo wedi bod ymhlith y cewri cynnar. Ond doedd hanes y Methodistiaid, fwy nag awgrymiadau Luned Bengoch, ddim at ddant Gwawr. Aeth i'w gwely heb ddewis dim ac yn teimlo'n anfodlon iawn ei byd.

3

Y bore Mercher canlynol, pan gnociai Gwawr ar ddrws Mrs Griffiths, roedd hi'n gwybod yn well beth i'w ddisgwyl, a byrlymai o fwriadau da. Fe wnâi ei gorau glas dros yr hen wraig. Cnociodd ddwywaith gan droi'r bwlyn a chamu dros y trothwy, heb aros am ateb.

'Fi sy 'ma,' cyhoeddodd yn uchel.

'Pwy wyt ti 'ta?'

Symudodd yn nes at y bwrdd er mwyn i'r hen wraig ei gweld. 'Fi, Gwawr,' meddai. A sylwodd gyda rhyddhad fod y tân eisoes wedi'i gynnau, a bod golwg fwy taclus ar Mrs Griffiths nag oedd arni'r wythnos gynt—er bod ei gwallt yn hongian yn flêr ar ei gwar.

Craffodd Mrs Griffiths arni drwy'i sbectol, 'O ie, ti.' Gloywodd ei llygaid am eiliad a bu bron i Gwawr ddal cysgod gwên yn llercian ar ei gwefusau. Serch hynny, ni fynnai Mrs Griffiths ildio'i phliscyn caled mor hawdd â hynny; diflannodd y cysgod a chaledodd ei gên. 'Doeddwn i ddim wedi disgwyl i ti alw heibio eto . . . meddwl y buaset ti wedi cael digon ar ôl 'rwythnos ddwytha . . .' meddai.

'Roeddech chi'n camgymryd felly, doeddech chi? Heblaw am hynny, mae'n *rhaid* i mi ddod. Roedd o yn y llythyr gawsoch chi. Bob bore Mercher tan ddiwedd tymor y Pasg, y flwyddyn nesa. Mae'n rhan o 'ngwaith ysgol i.'

'Ro'n i'n amau nad dod o garedigrwydd tuag at hen wraig oeddet ti.'

Doedd gan Gwawr ddim ateb i hynny. 'Be 'dach chi am i mi wneud heddiw?' gofynnodd, yn benderfynol o gadw'i sirioldeb cyhyd â phosib. 'Dw i'n gweld bod y tân wedi'i gynnau.'

'Ydi, ond wnâi o ddim drwg i ti dynnu clwt gwlyb dros yr aelwyd i sionci'r teils dipyn bach. Mae 'na fwced plastig coch a chlwt llawr dan y sinc yn y gegin fach.'

Aeth Gwawr ati'n ufudd ond heb fawr o frwdfrydedd. Hen waith budr oedd hwn eto. Byddai pethau gymaint gwell pe bai Mrs Griffiths yn defnyddio tân trydan; byddai yna lai o lwch a llai o waith i bawb. Trawodd gefn ei llaw yn erbyn ymyl y grât a chrafu'r croen. 'Damia,' meddai'n ddistaw, ond ddim yn ddigon distaw i osgoi clustiau'r hen wraig.

'Be sy arnat ti'r hogan?' gofynnodd. 'Rwyt ti'n lletchwith iawn. Pan oeddwn i yn d'oed di, fe fyddwn i'n blacledio barrau'r grât yna ddwywaith yr wythnos ac yn rhwbio Brasso yn y ffendar . . .'

'Oeddech chi'n byw yma pan oeddech chi'n ifanc?' rhyfeddodd Gwawr.

'Ges i 'ngeni yma,' atebodd yn syml. A dyna pam yr oedd hi mor gyndyn o ymadael, felly. Dechreuodd Gwawr ddeall. Ac er gwaetha anghyfleusdra truenus y tŷ a'i safle annymunol, eiddigeddai ryw fymryn wrth Mrs Griffiths gan ei bod hithau mor sicr o'i lle. Wyddai Gwawr ddim ymhle y cawsai ei geni nac i bwy, ac roedd yr ychydig a wyddai am ei hanes yn ddim i ymfalchïo ynddo.

'Mae'n rhaid bod pethau wedi newid ers hynny,' meddai'n dawel.

'Ydyn.'

'Er gwell neu er gwaeth?' Cadw'r sgwrs i fynd roedd hi, doedd ganddi ddim gwir ddiddordeb ar y pryd.

Ystyriodd yr hen wraig am ysbaid cyn ateb, 'Roedden ni'n gweithio'n galetach,' meddai, 'yn wŷr ac yn wragedd.'

'Oeddech chi? Sut?' pwysai Gwawr, wrth ymestyn ei chlwt i ben draw'r pentan.

'I be wyt ti eisie gwybod?' gofynnodd Mrs Griffiths, yn ddrwgdybus eto, ond ddim llawn mor ffyrnig ag ambell un o'i hymosodiadau blaenorol.

'Eisie dysgu ydw i,' meddai Gwawr yn hanner coeglyd. Ac yna, dyna'r geiriau'n cynnig syniad iddi, syniad a'i chynhyrfodd yn lân. Petrusodd ac yna mentro cyn colli hyder.

'Dw i'n gwneud Hanes yn yr ysgol,' eglurodd yn gyflym, 'ac am i chi ddysgu i mi sut i gynnau tân 'rwythnos ddwytha, efallai y medrech chi ddysgu i mi sut roedd pobl yn byw cyn 'y ngeni i. Mae'n rhaid i ni siarad am rywbeth tra 'mod i yma, waeth i ni sôn am yr hen amser ddim.'

'A dw i'n grair hanesyddol erbyn hyn, ydw i?' oedd ymateb yr hen wraig, ond synhwyrai Gwawr dinc bodlon yn ei thôn a awgrymai fod yn dda ganddi gael ei holi. Trodd ei phen i gymryd cip cyflym arni a gweld bod ei hwyneb wedi meddalu. Doedd llinell y gwefusau ddim mor dynn, felly pwysodd yn drymach a hynny'n hollol ddiffuant, heb arlliw o goegni.

'Dowch, peidiwch â bod mor gyndyn. 'Dach chi wedi deud eich bod chi'n blacledio'r grât, beth arall fyddech chi'n ei wneud?'

Yn araf deg a chan fagu hyder wrth fynd ymlaen, dechreuodd Mrs Griffiths sgwrsio. Er syndod iddi hi'i hun, cafodd Gwawr y sgwrs yn ddiddorol. Wrth sychu ochrau'r aelwyd a rhwbio'n egnïol yn yr hen farciau seimllyd oedd yn gyndyn iawn i ildio'u lle, roedd hi'n glustiau i gyd . . .

Y golch wythnosol oedd testun Mrs Griffiths pan wasgai Gwawr y clwt budr i'r bwced am y tro olaf. '. . . ac nid rhyw dameidiau o neilon llipa'r oedden ni'n eu gwisgo yn ein hoes ni, ond defnydd trwchus ag angen ei sgwrio a'i ferwi yn y pair i dynnu'r baw ohono fo. A doedd gan neb yn y stryd olch a chystal graen arno â Mam, na'r un gweithiwr tun â ffedog a lliain chwys gwynnach nag oedd gan Nhad . . .'

Daeth nerth i'w llais wrth ymfalchïo a chofio. Ond tawodd yn sydyn pan gododd Gwawr oddi ar ei phenliniau i fynd â'r dŵr budr allan. Daeth hynny â hi'n ôl o orffennol ei hatgofion yn blwmp i'r presennol a'i throi'n hen wraig biwis unwaith eto. '. . . a thra bod dy ddwylo di'n wlyb, wnâi o ddim drwg i ti olchi carreg y drws.

Rhagluniaeth fu'n gofalu amdano fo ers tro byd ac mae arna i gywilydd 'i weld o.'

'Pa mor aml fyddwch chi'n mynd allan i'w weld o gwbl?' heriodd Gwawr.

'Yn amlach nag a wyddost ti,' atebodd yn llym, gan ychwanegu'n benisel, 'Dw i'n nôl bara pan fydd y becar yn galw ac yn mynd i ddewis o'r siop deithiol . . .'

Oedodd Gwawr yn nrws y gegin gefn, 'Fyddwch chi ddim yn mynd ymhellach na charreg y drws ambell dro?' gofynnodd, ac wedi ystyried am foment, 'fe allech chi fynd i nôl eich pensiwn, does fawr o ffordd rhwng fa'ma a'r Swyddfa Bost.'

'Gallwn, wrth gwrs,' brysiodd Mrs Griffiths i'w sicrhau, 'ond bod y ferch 'na o'r Adran Les yn mynnu ei nôl o drosta i. Mae ofn arni hi na allwn i groesi'r ffordd yn ddigon cyflym. Mae rhai o'r ceir 'na'n gyrru heibio'r Stryd Fawr fel 'tai 'na ddim fory i gael.' Cododd ei llaw a chyfeirio'i bys i danlinellu'i phwynt, 'Mae'r oes hon ar ormod o frys,' beirniadodd. 'Symud ydi popeth. Does neb am aros yn ei unfan . . .'

Sylwodd Gwawr fel roedd bysedd ei llaw wedi crymu'n annaturiol. Y cricymalau oedd yn gyfrifol, tybed?

'Sut mae'r cricymale?' gofynnodd.

'Ddim cynddrwg heddiw,' atebodd Mrs Griffiths, 'a minne mwy uwchben 'y mhethe nag o'n i'r tro dwytha y buost ti yma.' Ochneidiodd. 'Cha i mo'i wared o chwaith, mynd a dod mae o a bydd yn rhaid i mi ddygymod; fe lwyddais i gynnau'r tân yn ddidrafferth iawn y bore 'ma. Wedi arfer, wsti—mae 'na dric i bopeth . . .'

Allai Gwawr ddim ymatal, 'Pam na rowch chi'r gore i dân glo?' gofynnodd. 'Mae'r trydan gymaint mwy hwylus.'

'Y tân sy'n cynhesu'r dŵr i mi,' atebodd Mrs Griffiths yn rhesymol. 'Be wnawn i heb ddŵr cynnes?'

'Fe allech chi gael *immersion heater*,' meddai Gwawr.

'Be 'di hwnnw, dywed?' Ond aeth yn ei blaen heb aros am eglurhad. 'Mae'n rhaid ei fod o'n gostus beth bynnag ydi o a does dim diben i mi fynd i gostau i ad-drefnu'r hen dŷ 'ma bellach. Dw i'n rhy hen ac ar ôl i mi fynd, mynd â'i ben iddo wnaiff o. 'Blaw am hynny, mae 'na dân 'di bod ar yr aelwyd yma erioed a hoffwn i ddim gweld ei ddiffodd o o'm hachos i. Mae 'na gysur mewn tân go iawn. All neb weld lluniau na breuddwydio, heb sôn am hel atgofion, wrth sbio i dân trydan.'

Brathodd Gwawr ei gwefus isaf. Roedd hi'n freuddwydwraig heb ei hail ond nenfwd ei stafell wely oedd ei sgrin hithau.

''Y ngwallt i 'di'r bwgan,' âi'r hen wraig yn ei blaen a'i llais yn llym, 'fedra i yn 'y myw godi 'mreichiau'n ddigon uchel i gyrraedd top 'y mhen ac am estyn at 'y ngwar . . . does gen i ddim gobaith. Dw i 'di hen roi'r gore i edrych yn y drych.'

'Fe griba i o drosoch chi cyn i mi fynd,' addawodd Gwawr, yn ddifeddwl gan synnu ati'i hun o gofio'i hymateb yr wythnos gynt. Oedd hi'n dechrau gwirioni, tybed? Cododd y bwced, 'Fe wagia i hwn a mynd â dŵr glân at garreg y drws,' meddai a chofiodd ar yr un pryd am y gweoedd pry cop trwchus oedd ar draws ffrâm y ffenest. 'Waeth i mi olchi'r ffenest tra 'mod i allan.'

'Gwna di, 'ngeneth i. Mae digon o angen ei wneud o, ond cofia,' rhybuddiodd, yn wraig tŷ bob mymryn bellach, 'dim ond dŵr at y ffenest, mae dŵr sebon yn gadael stecs, ond defnyddia Vim at y garreg a brws sgwrio. Fe ddylen nhw fod dan y sinc os nad ydi'r Mrs Best 'na wedi'u symud nhw . . .'

Cafodd Gwawr hyd i'r Vim. Roedd y clawr rhydlyd yn awgrymu na chafodd ei ddefnyddio ers tro byd, ac allan â hi. Golchodd y ffenest yn gyntaf ac yna sgwrio'r garreg. Wrth weithio, sylwodd am y tro cyntaf erioed sawl gwaith y bu'n rhaid iddi agor a chau'i dwylo, symud ei bysedd a gwneud dwrn cyn medru gwneud dim o werth. Cynyddodd ei chydymdeimlad â Mrs Griffiths. Tebyg na fyddai hi mor heulog ei thymer chwaith pe bai pob un o'r symudiadau bach hynny'n achosi poen iddi.

Wedi gorffen ac ar ei ffordd 'nôl drwy'r gegin at y gegin fach i wagu'r bwced, cafodd fraw wrth weld Mrs Griffiths yn gwegian ac yn ymbalfalu i godi. 'Arhoswch chi lle'r ydach chi,' meddai. 'Does dim angen i chi symud tra 'mod i yma.'

'Na, 'ngeneth i, mae'n gwneud lles i mi symud. Mi fyddwn yn delwi'n gyfan gwbl 'tawn i'n ildio i'r hen aflwydd.' Sadiodd wrth bwyso'i llaw ar y wal. 'Dw i'n iawn rŵan, cer di i 'molchi dy ddwylo.'

Pan ddychwelodd Gwawr, roedd hi'n gosod cwpanau a soseri ar y bwrdd a'i dwylo'n crynu cymaint fel bod y llestri'n tincial.

'Rho'r tegell i ferwi,' meddai. 'Mae chwant paned arna i erbyn hyn ac rwyt ti'n haeddu un wedi bod allan yn y gwynt yn sgwrio'r garreg 'na.'

Doedd ar Gwawr ddim mwy o eisie paned 'rwythnos hon na'r wythnos ddwytha. 'Beth am sgubo'r llawr a chodi llwch?' esgusododd ei hun. 'Fe ddylwn wneud hynny cyn eistedd . . .'

'Does dim angen. Dyna beth fydd Mrs Best yn ei wneud a hynny ddwywaith yr wythnos; newid 'y ngwely unwaith, sgubo a chodi llwch drwy'r tŷ, llenwi'r bwced glo a dod â choed tân i mewn i mi. Chwarae teg iddi, mae hi'n gwneud job dda, ond does ganddi mo'r amser i sgwrsio na gwneud dim dros ben. Mae hi'n mynd ar garlam o fa'ma i'r lle nesa. Beth bynnag, gan 'mod i ar 'y mhen fy hun a byth yn mynd i unman, fydd dim baw yn hel a does dim diben i ti fynd i chwilio am jobsys, 'mond er mwyn cael rhywbeth i lenwi d'amser . . .'

'Beth am eich gwallt chi?' mynnodd Gwawr. 'Gwell i mi gribo hwnna nesa.'

'Ia, o'r gore,' cytunodd Mrs Griffiths 'ond i ti'i wneud wrth y bwrdd. A minnau wedi codi, dydw i ddim am eistedd 'nôl yn yr hen gadair freichiau 'na cyn cael 'y mhaned. Ac mae'n well gen i eistedd wrth y bwrdd i'w hyfed na lolian rhwng clustogau.'

Estynnodd Gwawr y brws gwallt a'r grib. Hoffai pe bai hi'n medru dweud yn blaen nad oedd hi ddim am yfed paned, ond wrth gael trefn ar y gwallt trwchus sidanaidd, sylwodd ar y llestri a deall pam na chafodd hi orchymyn i'w gosod. Roedden nhw'n rhai tsieni tenau fel papur a rhimyn arian i'r gwpan a'r soser a thusw o flodau bach glas ar yr ochr ac yng ngwaelod y gwpan. Y tsieni gorau a hynny er ei mwyn hi! Tynnodd wyneb. Wedi sylwi ar y tsieni, ni chaniatâi ei chydwybod iddi wrthod, fe fyddai'n rhaid iddi yfed y baned pe bai'n tagu drosti.

Yn nes ymlaen, a nhw ill dwy'n eistedd yn hamddenol wrth y bwrdd, gwenodd pan gynigiodd Mrs Griffiths y tun bisgedi iddi a gweld mai rhai siocled oedd ynddo. Bisgedi plaen Rich Tea oedd yno'r wythnos ddiwetha. Tybed oedd yr hen wraig wedi gobeithio y byddai'n galw ac wedi trefnu croeso ar ei chyfer er gwaetha'i hamheuon? Teimlodd ei hun yn toddi. A hithau'n rhy gyndyn i ddweud diolch, dyma ffordd Mrs Griffiths o gydnabod ei gwerthfawrogiad. A allai hi roi hynny yn ei ffeil tybed? Cil-wenodd. Beth fyddai ymateb arholwr i'r gosodiad, 'Fe wnaeth gynnig bisged siocled i mi a hynny'n . . . werth y byd.'

Gan fod y croeso swil wedi rhoi hyder iddi hi, a'r ffeil Hanes yn dal i bwyso, aeth Gwawr ar ôl atgofion Mrs Griffiths wrth lymeitian. Fe'i holodd am ei theulu a sut na symudodd hi erioed o 5 Stryd y Bont.

'O . . . O, mi fûm i o 'ma unwaith,' cywirodd Mrs Griffiths. 'Am ryw wyth mis ar ôl priodi aeth Sam a mi i rannu tŷ i fyny heibio i'r Cefn. Ond fe fu Mam farw'n ddisymwth ac felly roedd yn naturiol i ni ddod yma fel y gallwn i edrych ar ôl Nhad a Defi bach, yr ienga ohonon ni oedd yn dal i fyw gartre. Fi a Sam gafodd y llofft flaen tra aeth Nhad a Defi i'r llofft gefn,' eglurodd. 'Chwarae teg i Nhad, fe fynnodd ein bod ni'n cael y llofft ore.'

'Pryd briodsoch chi felly?' holodd Gwawr.

Chwarddodd Mrs Griffiths yn iach. 'Mae o mor bell yn ôl,' meddai, 'Ydw i bron ag anghofio ond gan dy fod ti'n gofyn . . .' Cododd yn boenus drwy bwyso'i dwylo ar y bwrdd a gwthio.

'Ga i estyn rhywbeth i chi?' cynigiodd Gwawr. Roedd yn well ganddi i'r hen wraig aros yn ei chadair; teimlai'n chwith o'i gweld yn stryffaglio symud . . .

'Na, na, fyddi di ddim yn gwybod am be i chwilio. Dyna ni, dw i'n iawn rŵan.' Sythodd a throi am y seidbord. Bu wrthi'n chwilio drwy un o'r droriau am ysbaid. Roedd Gwawr wedi gorffen ei phaned cyn i Mrs Griffiths weiddi arni. Ymunodd â'r hen wraig er mwyn gweld beth oedd ganddi yn ei dwylo. Llun! 'Dyna ni,' meddai yn ei estyn iddi, 'Sam a fi ym 1927.'

Craffodd Gwawr arno; llun priodas. Roedd y briodferch yn dal, yn dalach nag oedd Mrs Griffiths erbyn hyn a gwisgai ffrog o ddefnydd sgleiniog a'r godre'n codi at y ben-glin yn y blaen ac yn disgyn bron at y ffêr ar y tu ôl. Roedd lled cantel yr het yn amrywio hefyd. Cariai dusw o flodau a doedd dim dwywaith nad oedd hon yn briodas ddel. Ond y wyneb a ddenodd ei sylw mwyaf, wyneb tlws, digon o ryfeddod a gwallt tywyll yn dianc o ochrau'r het yn ffrâm deilwng iddo. Cymerodd gip ar y wyneb blinedig a syllai gyda hi ar y llun. Oedd, roedd y tlysni i'w weld o hyd yn y trwyn main, ond roedd croen llac yn cuddio siâp yr ên ac roedd traed brain yn croesi ac yn ailgroesi ei hwyneb. Teimlodd Gwawr yn rhyfedd o drist a throdd ei sylw at y priodfab.

Doedd dim byd arbennig ynglŷn âg o. Gŵr byr, prin mor dal â'i wraig newydd, ei wallt gwinau eisoes yn cilio oddi ar ei dalcen a siwt dywyll oedd ychydig yn rhy fawr iddo. Roedd golwg ofnus braidd ar y ddau. Ond 1927!

'Oeddech chi'n ifanc iawn yn priodi?' gofynnodd wrth roi'r llun yn ôl.

'Be wnaeth i ti ofyn hynny? Na, doedden ni ddim yn ifanc iawn, roeddwn i'n dair ar hugain a Sam yn ddwy ar hugain; minnau rhyw ddeng mis yn hŷn nag o, a dyna fo wedi cael mynd o 'mlaen i . . .'

Roedd Gwawr yn ofni ei bod hi wedi rhoi cychwyn ar sgwrs forbid ond na, dal i edrych ar y llun a chofio'r diwrnod hwnnw roedd Mrs Griffiths. 'Mam fynnodd 'mod i'n cael gwisg arbennig i briodi ynddi, sidan o liw bricyllen a channoedd o berlau mân yn ei haddurno, sgidiau a het o'r un defnydd . . . Fi oedd yr unig ferch yn y teulu allan o chwech o blant, wyt ti'n gweld, a Mam yn benderfynol y cawn i ddiwrnod i'w gofio ac fe gefais i

. . .' Rhoddodd y llun yn ôl yn y drôr. ' . . . a chyn pen y flwyddyn roedd hi wedi'i chladdu,' meddai a chau'r drôr â chlep.

Meddwl am y dyddiad roedd Gwawr. Os oedd Mrs Griffiths yn dair ar hugain ym 1927, rhaid ei bod hi wedi cael ei geni ym 1905, cyn y Rhyfel Byd Cyntaf, ac yn ddigon hen i gofio'r rhyfel hwnnw. Roedd hi'n dalp o Hanes.

Teimlai'n sicr bellach ynglŷn â'i phrosiect i Luned Bengoch. Fe fyddai'n astudio'r cyfnod o . . . pa mor bell yn ôl y byddai Mrs Griffiths yn cofio, tybed? Blwyddyn neu ddwy cyn y Rhyfel Byd Cyntaf debyg. Cychwyn yn fan'na a dilyn yr hanes at y briodas hon efallai a'i alw'n Blentyndod yn Chwarter Cynta'r Ugeinfed Ganrif, neu at gychwyn yr Ail Ryfel Byd o bosib, neu hyd yn oed at y chwedegau llesmeiriol. Roedd ei chymar wrth y bwrdd wedi byw drwyddyn nhw i gyd. Câi weld sut fath o gof oedd gan Mrs Griffiths, ond teimlai'n ffyddiog y gallai fodloni Luned Bengoch gyda gwaith fel hyn; profiadau o lygad y ffynnon; ac fe gâi hi holi'r un pryd ag y byddai'n gwneud eu gwaith Cymdeithaseg. Lladd dau dderyn ag un ergyd ac arbed llawer o ymchwilio trwy lyfrau diflas. Petrusodd. Tybed a fyddai'r hen wraig yn fodlon rhannu'i hatgofion?

Cofiodd fel y byddai Sylfia'n brolio mai un o blant y chwedegau oedd hi; yr adeg pan oedd pobl ifainc yn llawn egni, eu hafiaith a'u beiddgarwch yn herio confensiynau henffasiwn yn enw heddwch, rhyddid a chyfiawnder, fel patrwm i'r genhedlaeth iau. Ymfalchïai Sylfia yn hynny ac afraid i neb ddadlau mai cael eu maglu yn rhwydi budron cyffuriau ac afiechydon fel AIDS a wnaeth yr holl ddamcaniaethau hunanfodlon. Efallai fod pawb yn meddwl mai eu cenhedlaeth nhw oedd yr orau . . . a doedd dim i'w golli wrth ofyn i Mrs Griffiths ei helpu. Fe fyddai'n gofyn, ond ddim yn rhy sydyn rhag ofn i'r hen wraig amau'i chymhellion a gwrthod heb ystyried. Fe âi ati'n gyfrwys drwy holi am ei chefndir ac arwain yn raddol at y gymwynas.

'Llun del iawn,' canmolodd, wrth ei estyn yn ôl, a chan fod Mrs Griffiths yn dal i syllu a byseddu ei chrair annwyl, 'Gawsoch chi blant?' gofynnodd. Roedd ganddi ddiddordeb mewn clywed hanes plant, i ba gyfnod bynnag y perthynent.

Wedi rhoi'r llun i gadw, herciodd Mrs Griffiths yn ôl i'w lle wrth y bwrdd, eistedd ac arllwys paned ffres iddi hi'i hun cyn ateb. Yna, wedi drachtio'n swnllyd drwy'i dannedd gosod (a godai'r dincod ar Gwawr), atebodd, 'Oedd, tri o blant. Pedwar a bod yn fanwl. Collais yr ail un ar ei enedigaeth, hogyn bach oedd o, ond fe fagais dri.'

'Ble maen nhw erbyn hyn?' holodd Gwawr yn eiddgar. 'Ydan nhw'n byw yn y dre?'

'Na, dydyn nhw ddim.' Dracht arall o de heb fod hanner mor swnllyd â'r un o'i flaen, neu efallai fod Gwawr yn dechrau cyfarwyddo. 'Cafodd Gwynfor, y mab hyna, ei ladd yn y fyddin.'

'Yn ystod yr Ail Ryfel Byd?' holodd Gwawr.

'Naci, roedd o'n rhy ifanc i hynny. Gwneud ei *National Service* roedd o. Roedd pob bachgen ifanc yn gorfod gwneud dwy flynedd o Wasanaeth Milwrol bryd hynny ac yng nghefn tryc roedd o pan syrthiodd hwnnw dros ddibyn . . .' Petrusodd fel pe na bai am ddilyn y trywydd hwnnw ymhellach. 'Dacw'i lun ar ben y silff, yn y ffrâm arian. Ugain oed oedd o, a heb ddechrau byw, druan bach. Os oedd ganddo gariad, wyddwn i ddim pwy oedd hi.'

Teimlodd Gwawr yn lletchwith iawn. Teimlodd iddi roi'i throed ynddi! Ond ymddangosai Mrs Griffiths yn dawel ac yn hunanfeddiannol unwaith eto erbyn hyn, a chynyddodd parch Gwawr ati. Mor hawdd y gallai fod wedi chwerwi, ond doedd dim chwerwder yn ei llais wrth fynd yn ei blaen. 'Wedi i Gwynfor fynd, doedd dim dal ar Brian; fo oedd yr ienga o'r tri a'r mwya peniog. Fe gafodd ysgoloriaeth i'r ysgol Ramadeg a gwneud yn dda yno. Arlunio oedd ei bwnc mawr, mae gen i rai o'i luniau yn y llofft fach wedi'u cadw . . . Yn 'rysgol yr oedd o pan ddaeth y newydd am ladd Gwynfor ac ymhen y flwyddyn, pan ddaeth yn ddigon hen i ddewis, fynnai o ddim mynd yn ei flaen gyda'i addysg. Roedd colli Gwynfor wedi'i daflu oddi ar ei echel yn lân. Wedi 'madael â'r ysgol roedd o mewn helynt o ryw fath o hyd ac roedd hi'n amlwg nad oedd llawer o waith yn ei groen. Wn i ddim pam roedd o mor ddiog, wedi cael gormod o sylw, efallai, gan mai fo oedd yr ienga. Achosodd o lawer o ofid i Sam druan cyn penderfynu dianc i Dde Affrig i wneud ei ffortiwn. Anfonodd air i ddweud iddo ymuno â'r heddlu yno. Ro'n i'n synnu o ddeall hynny ac yntau 'di bod y fath rapscaliwn, ond dyna fo, mae'n bosib iddo gallio wedi mynd dros y môr. Dw i ddim wedi clywed dim ganddo ers blynyddoedd, a wyddwn i ddim sut i gael gafael arno i ddweud wrtho am farwolaeth ei dad. Mae'r llythyron ges i ganddo yn y drôr acw . . .'

Diflannodd ofnau Gwawr ynglŷn â denu Mrs Griffiths i siarad; roedd hi fel petai hi'n falch o gael bwrw'i bol.

'A beth am y llall? Merch oedd hi?' gofynnodd.

'Ia,' gwenodd y fam, 'merch. Meriel. Merch dda.

Doedd hi ddim yn dlws cofia, ac ar un adeg roedd hynny'n ei phoeni'n fawr. Roedd hi'n fain, a'i hwyneb yn welw iawn ond roedd ganddi lais fel bronfraith. A doedd hi ddim yn hyll o bell ffordd, heblaw yn ei dychymyg ei hun,' meddai Mrs Griffiths dan chwerthin yn dawel. 'Ond pe bai hi cyn hylled â phechod, fe fyddai'r llais hwnnw wedi gwneud iawn amdano. Hi fyddai'n canu'r unawdau yn holl gyngherddau'r ysgol a phawb yn ei chanmol. Dilyn teulu'i thad roedd hi, roedden nhw'n lleiswyr da bob un. A pheth arall, bu'n canu yng nghôr yr eglwys ers pan oedd hi'n ddim o beth, er mai capelwyr oedden ni, os rhywbeth. Yn y capel y cafodd y plant eu bedyddio ond gofynnodd y côr-feistr a gâi hi fynd atyn nhw, wedi iddo'i chlywed hi'n canu mewn *cantata* yn yr ysgol. Ac fe gafodd fynd wrth gwrs, gan fod Sam a fi'n meddwl y byddai er ei lles hi. Roedd y côr feistr yn ddyn clên iawn ac yn glyfar gyda miwsig . . . '

'Ac oedd o'n help iddi hi?'

'O, oedd. Fe ddaeth Meriel yn ei blaen yn well na fyddai'r un ohonon ni wedi disgwyl a hithau'n mor dawel, heblaw am y canu. Lwyddodd hi ddim i fynd i'r ysgol Ramadeg ond fe ddysgodd deipio yn yr ysgol Fodern a chael gwaith wrth ei bodd gyda'r Cyngor Sir. Roedd hi'n dal i ganu yng nghôr yr eglwys wrth gwrs a dyna gyfarfod â Leonard. Daeth o'n giwrad yma ar ddechre'r pumdegau ac ymhen dim, er syndod i ni i gyd, dyna briodi! Cyn hir wedyn fe gafodd o ofalaeth yn yr Alban a dyna lle maen nhw byth.' Gorffennodd ei phaned a sychu'i gwefusau gyda'i hances. 'Mae'n rhy bell iddyn nhw ddod i ymweld â mi, a dydi cyflogau offeiriaid ddim yn uchel. Ond fydd hi byth yn anghofio 'mhen blwydd i na'r 'Dolig ac mae hi'n hael iawn gyda'i hanrhegion.

Does ganddyn nhw ddim plant . . .' Tawelodd ac edrych i lawr ar ei dwylo. Rywsut synhwyrodd Gwawr fod mwy o dristwch ynghlwm wrth hanes llwyddiant Meriel nag yn hanes y bechgyn. Mwy o golled efallai.

Cododd er mwyn hel y cwpanau i'w golchi ac wrth wneud, sylwodd ar ei wats, ''Rarswyd,' gwaeddodd, 'dw i 'di aros dros f'amser.' Gollyngodd y llestri a sgathru i dynnu'i hofyról. 'Bydd Hanes wedi cychwyn. Fe wela i chi'r wythnos nesa.' Ac i ffwrdd â hi ar frys mawr heb feddwl am ddim heblaw am Luned Bengoch a'i thafod miniog. Roedd hi'n falch ei bod wedi penderfynu ar bwnc i'w phrosiect. Ac efallai y pylai hynny dipyn ar fin tafod yr athrawes.

Ddim tan y noson honno, a hithau'n gorwedd yn gysurus yn ei gwely yn rhoi trefn ar ddigwyddiadau'r dydd cyn mynd i gysgu, y teimlodd yn euog am adael Mrs Griffiths mor swta. A lwyddai'r hen wraig i gario'r llestri, ei llestri gorau hi, i'r cefn a'u golchi nhw heb eu torri tybed? Gobeithiai yn ei chalon y gwnâi . . .

Ond allai hi ddim peidio â phryderu dros y ddeuddydd nesa. Pe bai gan Mrs Griffiths ffôn, fe fyddai wedi rhoi caniad iddi er mwyn holi sut roedd hi. Ceisiodd ei darbwyllo'i hun nad ei busnes hi oedd hynny. Fe fyddai'r Mrs Best honno'n galw bore dydd Gwener ac roedd hi'n cael ei thalu am ei gwaith! Efallai mai dyna a barodd iddi hi bryderu cymaint. Roedd Mrs Griffiths mor ddiymgeledd a neb yn hidio botwm corn amdani mewn gwirionedd, neb yn gwneud dim drosti heblaw bod rhyw elw iddyn nhw yn hynny. Roedd hithau, hyd yn oed, am elwa arni. Doedd dim syndod bod yr hen wraig yn ymddangos mor drwynsur ambell waith.

Fore Sadwrn cododd Gwawr yn gynt na'i harfer yn ystod y penwythnos, gan rhoi sioc i Sylfia a John oedd yn dal heb gychwyn am eu gwaith.

'Mae Armagedon ar ein gwarthaf,' meddai Sylfia'n syn.

'Estyn y llestri i ti dy hun,' meddai John, 'mae 'na baned ar ôl yn y tebot a dydi o ddim wedi oeri eto.'

Bowlen o Muesli a llaeth dros ei ben o, oren a the gwan, brecwast bach wrth ei bodd, ond bod brys arni.

'Be 'dan ni wedi'i wneud i haeddu dy bresenoldeb di mor gynnar yn y bore?' gofynnodd Sylfia'n goeglyd.

Atebodd Gwawr mohoni. Doedd hi ddim yn teimlo'n gysurus gyda Sylfia, a thyfodd dieithrwch rhyngddyn nhw ar ôl y ffrae ofnadwy honno a gawsant ddwy flynedd yn ôl. Clywodd y gwaed yn poethi'i bochau dim ond wrth gofio amdani. Er iddynt gymodi i raddau doedd fawr o gynhesrwydd rhyngddynt. Hoffai Gwawr pe bai'n medru teimlo'n wahanol. Ambell waith, wedi bod yng nghartre Mared ar ryw berwyl neu'i gilydd a gweld mor rhydd roedd y berthynas rhyngddi hi a'i rhieni, byddai wedi rhoi'r byd yn grwn am gael rhedeg i gôl Sylfia a nythu yno. Ond cilio fwyfwy i'w chragen a wnâi, gan smalio'i bod hi'n wydn a dihidio; fynnai hi ddim i neb wybod y gallai fod yna graciau yn y gragen.

Doedd hi ddim wedi dweud wrth Sylfia a John am y gwaith cymdeithasol a wnâi yn ei chwrs Cymdeithaseg. Dim ond hynny oedd raid y byddai'n ei ddweud wrthynt am unrhyw beth. Felly doedden nhw'n gwybod dim am Mrs Griffiths a doedd hi'n gweld dim pwynt mewn sôn chwaith. Doedden nhw ddim yn adnabod neb tlawd, neb oedd yn wirioneddol dlawd fel Mrs Griffiths, ac ofnai y bydden nhw'n ddirmygus ohoni neu, yn waeth byth, yn nawddoglyd, a haeddai'r wraig mo hynny.

Ac efallai y byddai Sylfia'n mynd acw i fusnesa a beirniadu. Tagodd dros ei Muesli a theimlo cywilydd. Doedd hynny ddim yn deilwng. Fydden nhw ddim yn beirniadu pobl eraill. Doedd ganddyn nhw ddim cymaint â hynny o ddiddordeb mewn pobl eraill. Dim ond ynddi hi, Gwawr, y bydden nhw'n chwilio beiau. A phe baen nhw wedi rhoi slapen egr iddi ambell dro yn lle tynhau eu gwefusau pan atebai'n hy ac anfoesgar, byddai wedi teimlo'n nes atynt nag a wnâi wrth ddiodde'r holi pryderus yn ei chylch byth a hefyd . . . Ar y pryd ei diffyg ffrindiau oedd yn corddi'r dyfroedd . . .

Y trueni oedd na ddeallen nhw nad oedd hi'n gymdeithasol iawn wrth natur. Roedd hi'n hapus ar ei phen ei hun, yn darllen gan amlaf. Yn anffodus, nid llyfrau ysgol na chyfrolau safonol a fyddai'n ei helpu i fagu arddull ac ehangu geirfa oedd yn mynd â'i bryd, ond rwtsh clawr papur lliwgar. Nid straeon caru rhamantus hyd yn oed. Byddai Sylfia wrth ei bodd yn ymgolli yn un o straeon cyfres y Fodrwy i gael ymlacio ar ôl diwrnod o wenieithio i gwsmeriaid anwadal, cyn ei chynnig i Gwawr. Ond na, straeon iâs ac arswyd oedd ffefrynnau Gwawr; y straeon hynny oedd i fod i geulo'r gwaed a pheri i wallt y pen godi.

Byddai'n gorwedd yn y gwely gyda'r gwrthban gwyn a phinc drosti'n darllen tan berfeddion nos. Wedi diffodd y golau, byddai'n syllu ar sgwaryn y ffenest, yn dychmygu gweld llaw flewog yn cyrraedd dros y sil neu wyneb yn gwaedu'n erchyll yn codi o'i blaen. Serch hynny, chafodd hi'r un hunllef tan iddi hi glywed peth o'i hanes ei hun, ddwy flynedd yn ôl. Hwnnw a godai gryd oer arni, nid y straeon erchyll gan mai ffug oedd y rheiny.

Gorffennodd ei brecwast cyn gynted ag y medrai, gwisgo'i sgidiau a'i g'leuo hi am y drws.

'I ble wyt ti'n mynd ar gymaint o frys?' galwodd Sylfia ar ei hôl ond a hithau erbyn hynny yn ymyl y drws, ni theimlodd reidrwydd i'w hateb ac i ffwrdd â hi am y bws i Stryd y Bont. Roedd hi am ymweld â Mrs Griffiths, o'i gwirfodd y tro hwn.

4

Cyrhaeddodd Gwawr 5 Stryd y Bont, agor y drws ac i mewn a hi a dal Mrs Griffiths yn plygu dros y lle tân. Roedd golwg lletchwith iawn arni'n plygu o'r wasg ac yn tynnu clwt dros y teils wrth i'r tân gynnau.

'Ble rwyt ti'n mynd?' gofynnodd yn syn a sythu'i chefn yn araf iawn, iawn gan bwyso un llaw ar y wal i'w helpu. 'Dydi hi ddim yn ddydd Mercher.'

'Nac ydi, mi wn. Ond be 'dach chi'n ei wneud? Yn y gadair ddylech chi fod, nid yn glanhau.'

'Twt,' wfftiodd, 'am i ti 'ngweld i yn 'y ngwendid unwaith, rwyt ti'n meddwl mai fel'na ydw i o hyd. Dw i'n teimlo'n reit sionc heddiw yn y tywydd sych 'ma a does dim pleser mewn eistedd o flaen grât bŵl.'

'Fe wnes i olchi'r teils 'na ddydd Mercher.'

'Do, mi wn i ac fe wnest ti gystal job ohono fel i mi benderfynu'u caboli i weld a allwn i ddwyn tipyn bach o'u sglein yn ôl.'

'Mae gen i well syniad,' meddai Gwawr, er nad oedd hi wedi meddwl am y peth tan y munud hwnnw.

'Be?'

'Gan eich bod chi'n teimlo cystal, be am wisgo'ch côt a dod i'r dre am dro efo fi?'

Craffodd Mrs Griffiths arni'n syfrdan. 'Dyna pam y doist ti yma heddiw, i fynd â mi am dro?'

'Nid yn hollol,' cyffesodd Gwawr, ond heb egluro ei bod hi wedi bod yn poeni'n ofnadwy amdani hi a'i llestri gorau. 'Ond gan eich bod chi'n teimlo'n iawn, beth amdani?'

'I'r dre? Ar y bws?'

'Fe gerddwn i os byddai'n well gennoch chi hynny.'

'Paid â gwamalu! Ond . . . ond fues i ddim i'r dre ers . . . wel, gad weld . . . ddim ers tair blynedd, siŵr gen i . . .'

'Mwy o reswm i chi ddod heddiw felly ac mae'r tywydd yn braf.' Roedd Gwawr wedi sylwi ar ei llygaid yn gloywi. Roedd yr hen wraig wedi'i themtio a throdd fel petai am fynd i'r llofft, estynnodd am y canllaw ond cyn dechrau esgyn y grisiau trodd yn ei hôl.

'Na, na, gwell i mi beidio . . .,' meddai. Roedd hi wedi colli'i hyder; aeth a'i chlwt 'nôl i'r gegin fach a dychwelyd i eistedd yn y gadair freichiau. 'Dyma fy lle i. A does dim angen iti sefyll yno fel delw chwaith. Gan dy fod ti yma, cymer gadair a gwna dy hun yn gartrefol.'

Roedd hi wedi'i cholli hi ond ni hidiai Gwawr. Gwelodd y fflach yn ei llygaid a gwybod iddi blannu'r hedyn; gadael iddi hi feddwl dros y peth am wythnos neu ddwy oedd orau a dal i bwyso'n gyfrwys.

Arhosodd Gwawr ddim yn hir y bore hwnnw, dim ond yn ddigon hir i rannu paned. Ond teimlai'n falch iddi alw a gwyddai iddi blesio'r hen wraig wrth wneud.

Newidiodd y berthynas rhwng Gwawr a Mrs Griffiths ar ôl yr ymweliad annisgwyl hwnnw. Dechreuodd Gwawr alw heibio'n gyson am awr neu ddwy bob bore Sadwrn. Ymlaciai'r hen wraig yn ei chwmni a chydsyniodd yn hawdd i helpu Gwawr gyda'i phrosiect Hanes. Daeth yn ddealladwy mai ymweliad bore Sadwrn oedd yr ymweliad Hanes tra cadwyd dydd Mercher, fwy neu lai, at waith tŷ a gwlychu paned!

O wythnos i wythnos rhannai'r hen wraig bob math o brofiadau ac atgofion difyr gyda Gwawr. Dangosodd beth o arlunwaith Brian iddi. Doedd gan Gwawr ddim llawer o ddiddordeb yn y lluniau ond cytunai eu bod nhw'n dda, a doedd dweud hynny ddim yn bris drud am y cyfoeth o fanylion a gâi at ei phrosiect.

Wrth i Gwawr brocio'i chof, siaradai Mrs Griffiths fel melin bupur. Darluniai'i bywyd cynnar yn fywiog ac yn ffraeth. Roedd ganddi gof fel eliffant ac roedd y ffeil Hanes yn llenwi a Luned Bengoch yn canmol. Ymhyfrydai Gwawr yn y profiad amheuthun o gael ei chanmol gan honno.

Tyfodd rhyw ddealltwriaeth hyfryd rhwng Gwawr a Mrs Griffiths yn ystod y sesiynau bore Sadwrn a deallodd Gwawr fod yr hen wraig yn mwynhau'r ymweliadau hynny lawn cystal os nad yn well na'r ymweliadau dydd Mercher, pan oedd hi'n twtio a thacluso.

Yn sicr, roedd hi'n dysgu llawer—am brinder bwyd yn ystod y Rhyfel Byd Cyntaf er enghraifft. Wedi clywed si fod rhyw enllyn arbennig, triog efallai, wedi cyrraedd siop y groser, byddai pawb yn rhedeg yno cyn gynted â phosib, a'i botyn yn barod er mwyn cael siâr. Dysgodd am y *Recruiting Sergeant* a ddôi gyda drymiwr ar hyd y strydoedd yn ceisio denu bechgyn ifainc i dderbyn swllt y brenin a mynd i'r fyddin, ac fel y byddai'r plant yn rhedeg ar ei ôl ac yn ei watwar. Dysgodd am ganeuon poblogaidd y rhyfel honno, caneuon Saesneg i gyd, *'Tipperary', 'Pack Up Your Troubles'* a chaneuon Charlie Chaplin, '. . . emynau oedd yn boblogaidd yn Gymraeg,' eglurodd Mrs Griffiths. 'Roedd mynd iawn ar emynau . . .' Wedi blino ar siarad am y rhyfel, dygai Mrs Griffiths Gwawr yn ôl at yr adeg pan oedd hi'n ferch ifanc; cyfnod y ddawns *Black Bottom,* y ffilmiau di-sŵn a'r *flapper,* '. . . pawb am y gore'n mwynhau,' meddai a gwên yn goleuo'i hwyneb. 'Dim llawer o arian ond digonedd o hwyl. Dwy geiniog oedd hi i fynd i'r Lido ar brynhawn Sadwrn, a welaist di neb tebyg i Tom Mix a Fatty Arbuckle i beri i rywun chwerthin nes gwlychu'i drôns . . . Mae gan y digrifwyr ar hwnna,' meddai, gan gyfeirio'n ddirmygus at y teledu bach symudol a swatiai dan liain ar y seidbord, 'lawer i'w ddysgu am eu crefft.'

Deallodd Gwawr o'r cychwyn bron nad oedd gan Mrs Griffiths fawr i'w ddweud wrth y teledu, '. . . maen nhw'n siarad yn rhy gyflym ac yn sôn am bethau na chlywais i erioed amdanyn nhw nac eisie clywed chwaith,' mynnai ac anaml iawn y codwyd y lliain.

Chlywodd Gwawr mo enwau Tom Mix na Fatty Arbuckle o'r blaen ond gwnaeth nodyn ohonynt. Roedd hi'n amlwg eu bod nhw'n ffefrynnau gan yr hen wraig, yn fwy felly na Charlie Chaplin. 'Roedd o mor drist,' eglurodd hi, 'allwn i ddim chwerthin ar ei ben o. Y dyn bach yn herio'r byd a byth yn curo. Byddai 'nghalon i'n gwaedu drosto er mai fo gafodd ei anrhydeddu'n Syr a'r atgo amdano *fo* oroesodd . . .'

Tyfodd eu cyfeillgarwch er gwaetha amheuon yr hen

wraig a frigai i'r wyneb bob hyn a hyn, a'i hannibyniaeth warsyth a'r dicter a godai hynny yn Gwawr ambell dro.

Pan ddaeth gwyliau'r Nadolig, daliodd i alw yn 5 Stryd y Bont er nad oedd rheidrwydd arni i wneud. Erbyn hynny, roedd hi'n teimlo mor gartrefol yn y gegin fach orlawn nes iddi brynu pâr o fenig rwber i warchod ei hewinedd wrth gynnau'r tân, er mawr ddifyrrwch i Mrs Griffiths!

Un bore Sadwrn, ymadawsai ag Afallon mewn ffit o dymer oherwydd i Sylfia fynd dan ei chroen drwy fusnesa. Eisiau gwybod roedd hi i ble yr âi Gwawr mor ffyddlon bob wythnos, yn union fel petai'n chwech oed yn hytrach na phymtheg. Chafodd hi ddim gwybod, a chyrhaeddodd Gwawr y tŷ teras bach yn gynt nag arfer. Doedd hi ond yn hanner awr wedi wyth a Mrs Griffiths yn dal wrth ei brecwast.

'Rwyt ti'n gynnar,' sylwodd. 'Be ddigwyddodd, piso'n y gwely neu gael cic owt gan dy fam?'

'Dydi hi ddim yn fam i mi,' poerodd Gwawr a'i theimladau drwg yn dal i gorddi.

'E?' Swniai Mrs Griffiths fel petai hi wedi synnu at y chwerwder yn ei llais. 'Dywed ti. Ond estyn gwpan gynta ac eistedd yma efo fi, mae'r te'n dal yn gynnes.'

Eisteddodd Gwawr ac er na fwriadai wneud hynny, arllwysodd ei chwd yn gyfan wrth Mrs Griffiths, y pethau a gadwodd yn dynn dan ei bron cyhyd. Profodd yr hen wraig yn gystal gwrandawraig ag oedd hi o siaradwraig. Eisteddodd yn dawel heb dorri ar draws y llifeiriant o gwbl. Uchafbwynt yr hanes oedd y ffrae. Ac wrth ei hailadrodd, teimlai Gwawr ei bod hi'n ei hailfyw, 'Bu'n rhaid i mi symud allan o'm stafell wely,' eglurodd, 'er mwyn i Sylfia gael ei phapuro a'i pheintio. Mae hi mor ffwdanllyd fel bod ganddi rota i wneud pob stafell yn ei thro. Mae'n dibynnu ar faint o draul gaiff hi. Daeth tro fy stafell i ddwy flynedd yn ôl, wythnos cyn gwyliau'r Pasg. Es i i'r ysgol yn y bore a phan ddois i adre roedd y dodrefn wedi'u symud at ei gilydd ac roedd pob peth blith draphlith. Doedd dim ots gen i 'mod i'n gorfod mynd i gysgu i'r stafell ymwelwyr, roedd yn newid bach a wnes i ddim grwgnach o gwbl. Ond min nos, wrth i mi orwedd yn y gwely dwbl anghyfarwydd ac estyn am fy llyfr i'w ddarllen, llyfr a llun o flaidd gyda llygaid coch a dannedd miniog ar y clawr, sylweddolais nad oedd Eli Lwyd yno, er bod y tedi pinc yn gwenu fel clown ar y glustog. Codais a mynd yn ôl i'm llofft fy hun i chwilio am Eli. Bu'n rhaid i mi ddringo dros roliau papur a thuniau paent, turiais yn y droriau ac edrych dan y gorchudd plastig oedd dros y gwely, ond doedd dim arwydd ohono. Allwn i ddim deall beth oedd wedi digwydd.

'Wedi meddwl am dipyn, es i lawr i ofyn i Sylfia a oedd hi wedi'i roi o'n rhywle o'r ffordd. Y hi oedd wedi gwagio'r stafell ar gyfer y paentwyr.

'Gwylio'r teledu roedd hi, a gweithiai John ar ddesg fach symudol o'i flaen.

'Sylfia,' cychwynnais . . .

'Sh,' meddai heb edrych arna i, 'aros nes i hwn orffen, fydd o ddim yn hir.'

'Eisteddais ar y soffa yn gwasgu f'anniddigrwydd y tu mewn i mi. Efallai na fyddwn i wedi ffrwydro fel y gwnes pe bawn i heb orfod aros am ei sylw. Fe ddaeth y rhaglen i ben o'r diwedd. 'Sylfia,' cychwynnais eto.

'O, rwyt ti'n dal yno,' meddai fel petai hynny'n beth syn, 'be wyt ti eisie, pwt?'

'Ble mae Eli Lwyd?'

Daeth golwg ochelgar dros ei hwyneb. Roeddwn i wedi gweld yr olwg honno o'r blaen ond ddim yn aml.

'Eli Lwyd?' gofynnodd a'i thalcen yn crychu fel 'tai hi ddim yn deall.

'Ie. Be 'dach chi 'di wneud ag o?'

'Am be wyt ti'n siarad?' gofynnodd. 'Eli Lwyd . . .?'

'F'eliffant i . . . hwnnw fydda i'n mynd ag o i'r gwely efo fi . . .'

'O ia, yr hen beth budr hwnnw a'i glust wedi rhwygo ac un llygad wedi diflannu . . .'

'Ie,' meddwn yn colli 'nhymer yn gyflym gan ei bod hi'n cymryd arni'n fwriadol fod yn anwybodus. 'Be 'dach chi wedi'i wneud ag o?'

'Wel, dwyt ti ddim yn meddwl dy fod ti braidd yn hen i fynd â theganau meddal i'r gwely bellach, yn enwedig hen degan sy wedi hen weld 'i ddyddiau gore?'

'Sylfia, ble mae Eli Lwyd?'

Roedd John wedi deall y tyndra ac wedi rhoi'r gorau i'w ffigyrau i wrando.

'Dw i wedi'i daflu siŵr iawn. Hen beth budr fel'na. Fyddai o ddim yn gweddu a thithau'n cael dy lofft wedi'i gweddnewid i gyd.'

Ei daflu o! Cododd fy nhymer. 'Ei daflu i ble?'

'I'r bin sbwriel. Lle arall?'

Codais i fynd i'w nôl.

'Waeth i ti heb,' meddai, 'mae'r dynion gwagu biniau wedi bod o gwmpas heddiw. Mae'r bin yn wag.'

Allan â mi yn fy nillad nos i wneud yn siŵr, ond roedd hi'n iawn a gwelais wawr goch yn llosgi o flaen fy llygaid. Sut gallai hi?

'Roedd hi'n gwybod cymaint roedd Eli'n ei olygu i mi. Sut gallai hi fod mor ddideimlad?'

Daeth Gwawr yn ôl i'r presennol a throi wyneb ymbilgar at ei gwrandawr.

'Hwyrach nad oedd hi ddim,' meddai honno'n dawel. 'Yn anaml iawn mae rhieni'n gwybod nerth teimladau'u plant.'

Prin y clywai Gwawr y sylw. Yn sicr, wnaeth hi mo'i ddeall yn ei chynnwrf. Ailafaelodd yn llinyn ei stori.

'Es i'n ôl i mewn, cythru ati a gafael yn ei hysgwyddau a'i hysgwyd fel cath yn ysgwyd llygoden. Gwichiai fel un hefyd ac ymdrechu i wingo o 'ngafael, ond un fach ydi hi ac roeddwn i'n gryfach na hi'r noson honno. Bu'n rhaid i John ddod i'n gwahanu ni.'

'Rwyt ti'n gorymateb,' barnodd yn llym. 'Dos i dy loft.'

'Dw i'n ddigon bodlon mynd o'i golwg hi,' gwaeddais. 'Hen wraig greulon ydi hi, fyddai fy mam fy hun byth wedi gwneud y fath beth.' Wn i ddim pam i mi ddweud hynny. Roeddwn wedi meddwl llawer am fy mam fy hun o bryd i'w gilydd a dychmygu sut un oedd hi, ond dyma'r tro cynta i mi sôn amdani yng nghlyw neb.

'Mae'n debyg bod Sylfia wedi cael sioc pan afaelais i ynddi. Wedi i mi ei gollwng, syrthiodd yn llipa i gadair fawr a lapio'i breichiau amdani'i hun a rhyw ysgwyd 'nôl a 'mlaen, ond pan gyfeiriais at fy mam naturiol, cododd ei phen ac fel pe bai am ei chyfiawnhau ei hun, 'Sut gwyddost ti be fyddai dy fam wedi'i wneud?' mentrodd.

'Fyddai'r un fam naturiol wedi bod mor greulon.'

'Na fyddai? Wyt ti'n siŵr?' Siaradai'n dawel, a'i hanadl yn dod a mynd yn gyflym.

'Sylfia, cymer ofal,' rhybuddiodd John.

Ymwrolodd yn sydyn a throi arno yntau. 'Cau dy geg,' meddai'n chwyrn, 'fe ddywedais i y dylen ni fod wedi cael babi, babi bach fyddai'n perthyn i ni'n gyfan gwbl . . .'

'Sylfia, allen ni ddim . . .'

Ond roedd hi'n mynd yn ei blaen yn wyllt, 'Os ydi hi'n ddigon hen i droi ar rywun wnaeth ei gore drosti erioed, mae hi'n ddigon hen i wybod y gwir. Wyt ti'n gwybod o le y doist ti?' gofynnodd i mi.

'O'r Cartre,' atebais, wedi fy sobri gan y nwyd yma na welais i ynddi hi o'r blaen.

'Sylfia, gad lonydd,' mynnai John.

Ond roedd pethau wedi mynd yn rhy bell iddi dewi. 'Ia, o'r Cartre. Dyna lle gawson *ni* hyd i ti a dod â thi yma aton ni . . . ond cyn hynny . . . be am cyn hynny?'

'Er mwyn dyn . . .' dechreuodd John.

'Gwranda a gwranda'n astud,' meddai Sylfia'n brathu ar ei geiriau fel y tasgent fel bwledi o wn. 'Hen drempyn yn chwilio am fwyd a gafodd hyd i ti wedi dy lapio mewn bag plastig mewn bin sbwriel. Dyna gymaint oedd dy fam naturiol di'n ei feddwl am ei babi . . .'

Do'n i ddim yn amau ei geiriau. Roedd yn eglurhad rhy od i'w amau a chododd tonnau o gywilydd drosta i. Bin sbwriel! Ciliais i'r llofft a chladdu fy mhen yn y glustog a doedd dim angen llyfr iâs ac arswyd arna i'r noson honno.

'Clywais ddrws y stafell yn agor rywbryd, wn i ddim faint o amser wedi hynny a John yn dweud, 'Gwawr, wyt ti'n effro?'

'Atebais i ddim, dim ond tyrchu ymhellach i'r gwely. Daeth at yr erchwyn. 'Mae gen i baned i ti fa'ma,' meddai, 'tyrd, fe deimli di'n well wedi'i hyfed hi.'

Ond allwn i ddim a phwysodd o ddim arna i. 'Dw i'n·'i gadael ar y bwrdd bach,' meddai. 'Dw i'n gwybod sut wyt ti'n teimlo. Rwyt ti wedi cael siom ac mae'n drueni i'r peth ddod allan fel y gwnaeth o. Efallai y dylen ni fod wedi dweud wrthot ti cyn hyn, ond, cofia, mi wnaethon ni dy ddewis di. O'r holl blant oedd ag angen cartre da, fe wnaethon ni dy ddewis *di.'*

'Oherwydd 'mod i yn yr oed iawn,' brathais, 'yn rhy hen i fygu mewn cot . . .'

Clywais o'n tynnu'i anadl yn chwyrn, 'Roedd hynny'n un rheswm, oedd,' meddai a'i lais yn denau, 'ond roedd mwy na hynny, cawson ni ein denu gan d'anwyldeb di . . .'

'Pwysodd ei law ar f'ysgwydd. Ymystwyriais a throi ar fy mol. Doeddwn i ddim am i neb gyffwrdd â mi. A doeddwn i ddim am wrando ar ei eiriau teg.

'Dos o'ma,' meddwn drwy 'nagrau.

'Tynnodd ei law i ffwrdd. "Fe a' i," meddai, "e'lla y byddi di wedi dod atat dy hun erbyn y bore."

'Sut oedd o'n disgwyl i mi ddod ata i'n hun? A dw i byth wedi gwneud, ddim yn iawn felly. Dw i ddim yn gwybod pwy ydw i, nac dw? Fe ddois i ddygymod â cholli Eli; fe ddois i siarad efo Sylfia eto, ac i bob golwg rydan ni'n deulu bach cytûn, ond faddeua i fyth iddi . . .'

Teneuodd ei llais a daeth llif ei hatgofion i ben. Edrychodd o'i chwmpas ar y gegin gynnes, gartrefol fel petai wedi'i drysu. Sbiodd i lygaid y wraig a edrychai arni a'i llygaid yn llawn tosturi er bod ei geiriau'n ddigon ymarferol. 'Am be?' oedd ei chwestiwn, 'am daflu Eli, neu am ddatgelu'r gwir am dy gefndir a chwalu'r syniadau y buest ti'n eu coleddu cyhyd?'

'Am daflu Eli. Nid ei bai hi oedd y llall ond bai fy mam iawn. Rhaid ei bod hi'n sguthan go lew i roi babi mewn bin sbwriel.'

'Wyddost ti ddim ai hi a wnaeth. Fe allai hi fod yn rhy sâl i wybod beth ddaeth o'i babi . . . a wyddost ti ddim pa bwysau oedd arni. Paid â bod yn rhy drwm arni. Does gen ti ddim hawl a thithau heb wybod y stori i gyd. A phaid â bod yn rhy drwm ar Sylfia chwaith. Wyt ti wedi ystyried efallai ei bod hi'n eiddigeddus o Eli Lwyd?'

'Yn eiddigeddus o Eli? Rwtsh! Pam fyddai hi'n eiddigeddus o Eli?'

'Roedd hi wedi breuddwydio hefyd, wsti, breuddwydio am blentyn iddi hi'i hun. Roedd hi'n gwybod beth oedd magu ac roedd ei breichiau hi'n wag. Un o'i rhesymau dros fabwysiadu ddwedwn i, fyddai i lenwi'r gwacter hwnnw . . .'

'Alla i ddim . . .' dechreuodd Gwawr daeru ond tewodd yn sydyn, wrth gofio fel y byddai Sylfia yn ei hanwesu yn y misoedd cyntaf hynny.

'Ystyria di,' âi'r llais pwyllog yn ei flaen; 'roedd hi am gychwyn bywyd newydd ei hun a chynnig bywyd newydd i ti hefyd, ond roeddet ti'n mynnu glynu at rywbeth o'r gorffennol. Doeddet ti ddim am dderbyn y cariad oedd ganddi i'w gynnig; ddim am ymroi . . . Ond waeth i mi heb â phregethu! Dim ond dweud ydw i bod 'na ddwy ochr i bob ceiniog. Un peth sy'n sicr, fe deimli di'n well ar ôl cael bwrw dy fol.'

Ac er syndod iddi hi'i hun, roedd Gwawr yn teimlo'n ysgafnach a'r hen lwmpyn caled a fodolai yng ngwaelod ei chorn gwddw yn feddalach nag a fu ers tro. Ond waeth beth a ddywedai Mrs Griffiths, ddôi o ddim ag Eli Lwyd yn ôl, a chredai hi fyth, byth bythoedd, fod Sylfia'n ei charu. Felly'n ffurfiol ac oeraidd y dywedodd, 'Diolch, Mrs Griffiths, am wrando'.

'Dim angen diolch, 'ngeneth i. Mae gan bawb sgerbwd o ryw fath yn ei gwpwrdd a dydi d'un di ddim cynddrwg ag ambell un. Ond meddwl dros beth ddywedais i a chwyd dy galon.'

Codi calon, wir! Dringodd Gwawr yn ôl ar ben ei cheffyl, sut gallai Mrs Griffiths ddeall beth oedd colli rhywbeth mor werthfawr ag yr oedd Eli iddi hi? Ac yna cofiodd, a chochi. Collodd Mrs Griffiths fab; dau fab a merch . . . Roedd hi'n deall yn iawn. Ond ni allai ildio'i dicter at Sylfia; mygodd y cydymdeimlad y ceisiodd Mrs Griffiths ei ennyn tuag ati. Serch hynny, estynnodd ei llaw i wasgu llaw'r hen wraig.

'Dyna ti. Ro'n i'n dallt bod tipyn o ruddin ynot ti,' meddai honno'n galonogol. 'Rŵan, allwn ni ddim aros yma'n clebran drwy'r dydd, fe olchwn ni'r llestri i ti gael cychwyn ar dy waith. Be wyt ti eisie i mi sôn amdano fo heddiw?'

Roedd y ffeil Hanes yn drwchus a Gwawr yn bur falch ohoni. Teimlai'n ddigon bodlon ychwanegu ati, ac erbyn i'r amser ddod iddi ymadael â 5 Stryd y Bont, roedd gwell hwyl o'r hanner arni na phan gyrhaeddodd. Wrth ffarwelio, addawodd Mrs Griffiths chwilio am hen luniau addas iddi eu cynnwys yng nghanol yr hanes, er mwyn darlunio'r cyfnod a rhoi amrywiaeth i'r gwaith.

5

Y dydd Mercher canlynol cafodd Gwawr fraw. Cyrhaeddodd 5 Stryd y Bont tua chwarter i naw yn ôl ei harfer, cnociodd ar y drws a mynd i mewn ond doedd Mrs Griffiths ddim yn y gegin. Nac yn y gegin fach chwaith. Aeth at waelod y grisiau. Oedd yr hen wraig yn dal yn ei gwely? Oedd hi'n sâl? Allai hi ddim cadw'r pryder o'i llais wrth weiddi, 'Mrs Griffiths, ydach chi yno?'

Llifodd rhyddhad drwyddi pan gafodd ateb, 'Ydw. Dw i yn y llofft gefn. Tyrd i fyny.' Ond sylwodd hi ddim fod Mrs Griffiths yn siarad yn arafach nag arfer.

Carlamodd dros y grisiau ac i mewn i'r llofft gefn i weld gwely sengl heb ddillad drosto a'r matras yn pantio yn y canol yn llenwi hanner y stafell fach. Roedd yn dda ganddi weld Mrs Griffiths yn eistedd ar erchwyn y gwely a swp o bapurach a lluniau ar ei harffed. Roedd drôr y gist yn ymyl y gwely ar agor. Doedd dim celfi eraill yn y stafell heblaw am gadair fregus a'i chefn wedi'i thorri. Leino blodeuog oedd ar y llawr gydag un mat bach wrth erchwyn y gwely. Ac roedd naws oer ofnadwy yno.

'Be 'dach chi'n ei wneud fan hyn?' holodd Gwawr, a'r braw a deimlodd wrth ganfod cegin wag yn miniogi'i llais. 'Ydach chi wedi cael brecwast?'

Edrychodd Mrs Griffiths arni â gwrid euog ar ei hwyneb. 'Na,' meddai, mewn llais bach, ac fe sylwodd Gwawr ar yr arafwch, fel petai'r hen wraig yn cael anhawster i ffurfio'r geiriau. 'Dydw i ddim wedi bwyta eto. Meddwl chwilio drwy'r lluniau yma a dewis rhai i ti cyn mynd lawr y grisiau oeddwn i. Mae dringo'r hen risiau 'na'n hanner fy lladd i. Ac unwaith i mi ddechrau chwilio a chwalu, fe aeth yr amser.'

Plygodd ei chardigan dros ei bron a sylwodd Gwawr fod ei dwylo'n las gan oerfel.

'Dowch,' meddai, 'dydi fa'ma ddim yn lle i fagu gwaed.'

'Fe awn ni â'r rhain i lawr efo ni,' meddai Mrs Griffiths, gan estyn un pentwr bach o luniau iddi. 'Does dim cymaint â hynny o luniau a dynnwyd adeg y rhyfel ond rheiny wyt ti fwya o'u heisie, 'ntê? Fe gei di roi'r lleill 'nôl yn y drôr.'

Bu'n rhaid i Gwawr ei helpu i sefyll. 'Wedi rhynnu braidd,' ymesgusododd hi, 'fe fydda i'n iawn ar ôl cael panad gynnes.'

'Fe a' i lawr o'ch blaen chi,' meddai Gwawr, wedi iddyn nhw gyrraedd ben y grisiau, 'rhag ofn i chi gwympo.'

'Twt, 'tydw i'n mynd i fyny ac i lawr bob dydd a dim niwed wedi dod i mi eto?'

'Dydi hynny ddim yn deud na ddaw niwed i chi,' meddai Gwawr ac estyn am ei llaw. Roedd fel gafael mewn telpyn o iâ. 'Ers pryd 'dach chi 'di bod yn eistedd yn y llofft gefn?'

'Wn i ddim yn iawn,' atebodd Mrs Griffiths, yn ffwndrus. 'Dw i'm 'di codi'n gynnar iawn ers blynyddoedd, tua'r wyth e'lla . . .'

'Ac mae hi bron yn naw,' meddai Gwawr. 'Awr gyfan a hithau'n fis Chwefror. Wir, dydach chi ddim ffit . . .' Roedd hi'n mynd i ddweud, 'i fyw ar eich pen eich hun,' ond cafodd ras i ymatal mewn pryd. Fyddai sylw fel'na wedi chwalu'r berthynas a dyfodd rhyngddynt yn rhacs jibidêrs. 'Rŵan, yn ofalus . . .' rhybuddiodd.

O ris, i ris, cyrhaeddasant y gegin. Mynnodd Gwawr fod yr hen wraig yn eistedd yn y gadair fawr a'i siôl dros ei phennau gliniau. Taniodd y tân trydan er bod llewyrchyn o goch ar ôl yn y grât, cyn mynd i wlychu llond tebot o de a thorri bara menyn a chrafu'r papur oddi ar driongl o gaws meddal yn frecwast i Mrs Griffiths. Diolchai am y gwersi Gofal Cartre a gawsai yn yr ysgol. O leiaf, roedd ganddi amcan ynglŷn â beth i'w wneud.

'Yfwch y te'n gynta,' mynnodd, ond doedd dim angen iddi bwyso, llymeitiai Mrs Griffiths yn awchus.

Trodd Gwawr ei sylw at y grât a chrafu'r lludw a'r marwydos oer allan. Wrth drefnu ychydig briciau tenau'n ofalus o gwmpas y llygedyn bach o goch oedd ar ôl a'i fwydo â chnapau bach o lo, fe gododd yn syndod o fuan. Cyn bo hir roedd y gegin yn gynnes braf ac ychydig mwy o liw yn wyneb Mrs Griffiths.

'Peidiwch byth â gwneud hynny eto,' meddai, yn synnu at gryfder ei theimladau. Yn union fel petai'r hen wraig yn perthyn iddi hi; yn nain neu'n hen fodryb efallai.

Hedodd golwg euog dros ei hwyneb ond fynnai hi ddim cymryd ei cheryddu chwaith, 'A phwy wyt ti i ddeud wrtha i be i'w wneud a be i beidio â'i wneud yn fy nhŷ i fy hun?' gofynnodd ond heb fawr o argyhoeddiad yn ei llais. Roedd hi'n gwybod iddi ymddwyn yn ffôl. 'Dyna un o'r pethau sy'n 'y mlino i ynglŷn â mynd i oed,' ymesgusododd, 'pawb yn cymryd arnyn nhw i ddeud wrtha i be i'w wneud a sut i'w wneud o ac yn disgwyl i mi roi diolch iddyn nhw am gymryd diddordeb. Ach!' Pesychodd ac estynnodd Gwawr y bocs hancesi papur iddi. Cymerodd hances a chlirio'i cheg iddo a'i daflu i'r tân. 'Byddai'n well gen i pe baen nhw'n rhoi trefn ar eu tai nhw eu hunain.'

'Wel dyna be ydw i yn ei wneud,' meddai Gwawr, 'paratoi at f'arholiad.'

'O leia, rwyt ti'n onest,' meddai Mrs Griffiths.

Mynnodd fod Gwawr yn bwrw golwg dros y lluniau tra oedd hi wrthi'n bwyta ei brecwast. Fe yfodd dair cwpaned o de ond ni fwytaodd hi lawer—dim ond un frechdan a bu'n cnoi honno gan droi'r tamaid o gwmpas ei cheg am amser hir cyn ei lyncu. Roedd yn wir nad oedd edrych yn fanwl ar hen luniau'n rhan o'r gwaith y dylai Gwawr ei wneud ar ddydd Mercher, a'r ffeil Gymdeithaseg mor bwysig â'r ffeil Hanes bob mymryn. Eto fynnai hi ddim siomi'r hen wraig drwy wrthod na thrwy ymddangos yn ddi-hîd. Wedi'r cwbl, roedd hi wedi rhynnu wrth chwilota amdanynt, felly eisteddodd wrth y bwrdd a mynd drwy bob un.

Cafodd nhw'n ddiddorol, y dillad yn arbennig. Astudiodd steil y gwallt a sut roedd pobl yn ymagweddu o flaen y camera. Mor gefnsyth! Dim awgrym o'r ymlacio diofal sy'n nodwedd o lun da heddiw.

Bachodd ar lun o filwr ifanc o'r Rhyfel Byd Cyntaf. Fe fyddai hwnnw'n gaffaeliad i'w phrosiect.

'Jac, 'y nghefnder,' eglurodd Mrs Griffiths, yn cyfeirio at y gŵr ifanc mwstaslyd, a'i gap a phig ar ochr ei ben. Roedd y direidi yn ei lygaid yn pefrio dros y blynyddoedd, hyd yn oed mewn hen lun oedd yn prysur anweddu. 'Mi dynnodd hwnna cyn mynd i'r trensys rhag ofn iddo gael ei ladd . . .'

Morbid! 'Gafodd o?'

'Naddo, fe gafodd ddod adre ond doedd o dda i fawr o ddim wedyn. Dim anadl—y *gas* ar ei 'sgyfaint—*mustard gas* . . .'

Sbiodd Gwawr eto ar hunanhyder dihidio'r bachgen yn y llun a theimlo bod y gwersi Hanes yn dod yn fyw dan ei thrwyn.

O un i un aethon nhw drwy'r lluniau—Mrs Griffiths ei hun wedi'i gwisgo at gárnifal, ei mam mewn ffrog ddu a'i gwallt wedi'i godi'n uchel ar ei phen . . . ac yn eu plith, un annisgwyl iawn, Sam yn palu'r *allotment* a gawson nhw yn ystod yr Ail Ryfel Byd, ' . . . y *Dig for Victory*, wsti,' pwysleisiodd, 'gan fod gen ti'r fath ddiddordeb mewn rhyfeloedd . . .'

Roedd Gwawr wedi egluro mai yn y Rhyfel Byd Cyntaf

yr oedd ei phrif ddiddordeb ac roedd Mrs Griffiths yn cofio hynny'n iawn. Wrth ei gweld hi'n bodio'r llun, synhwyrodd Gwawr ei bod hi eisiau esgus i ddangos llun o Sam. Roedd yn chwith ganddi ar ei ôl a hynny'n beth digon naturiol. Cochodd wrth ystyried mor ddifeddwl y bu yn gwthio'i mantais hi heb boeni am deimladau'r hen wraig. Nid cymeriadau hanesyddol oedd y rhain iddi hi ond ei theulu a'i hanwyliaid.

'Mae o'n ymddangos yn ddyn cryf,' meddai, gan fod Mrs Griffiths yn pwyso ymlaen yn eiddgar i ddisgwyl ymateb.

'Cryf, oedd—a hwyliog. Pawb wrth eu bodd yng nghwmni Sam . . .'

Edrychodd Gwawr ar ei wats a sylweddoli bod yr amser yn mynd ond roedd Mrs Griffiths yn mwynhau'i hun gymaint, fel nad oedd hi'n awyddus i dorri ar ei thraws . . .

A'r diwrnod hwnnw, heblaw am godi'r tân a golchi'r llestri brecwast, wnaeth hi ddim heblaw am wrando ar straeon. Fyddai ganddi hi fawr o ddim i roi i lawr yn ei ffeil Gymdeithaseg, ond teimlai rywsut nad oedd hynny mor bwysig â chynnig clust i'r hen wraig hel atgofion am ei gŵr.

* * *

Roedd yn fis Mehefin ac roedd hi wedi bod yn gynnes ac yn heulog ers pythefnos bron cyn yr addawodd Mrs Griffiths fentro i'r dre yng nghwmni Gwawr, y Sadwrn canlynol.

'Iawn, fe alwa i'n gynnar,' meddai Gwawr wrth ffarwelio ar ddydd Mercher. 'Rhowch eich hun yn barod.'

Erbyn dydd Sadwrn doedd y tywydd ddim cystal. Pan alwodd Gwawr yn 5 Stryd y Bont am hanner awr wedi wyth, gwelodd y byddai'n rhaid iddi bwyso'n drwm cyn dwyn perswâd ar yr hen wraig. Dim ond newydd orffen ei brecwast yr oedd hi.

''Dach chi'n barod?' gofynnodd yn sionc, er ei bod yn hollol amlwg ei bod yn bell o fod felly.

Gwgodd Mrs Griffiths. 'Na, mae'n ddrwg gen i dy siomi di ond dw i ddim yn meddwl y do i . . .'

'Pam? 'Dach chi 'di bod cymaint gwell yr wythnosau dwytha 'ma . . .'

'Ydw . . . Ond dwyt ti ddim yn gwybod sut dw i'n teimlo. Ac mae gen i bethau i'w gwneud . . .'

Ochneidiodd Gwawr. Wir, roedd angen amynedd i yrru 'mlaen yn ddiddig â hi.

'Be?' gofynnodd yn ddig.

'Glanhau'r aelwyd, golchi'r llestri.'

'Twt. Fe wnawn ni'r pethau hynny ar ôl dod 'nôl. Dowch rŵan i ni gael mynd cyn bod y torfeydd yn hel.'

'Dim ond slwt sy'n mynd i gerdded cyn tacluso'r aelwyd . . .'

'Mae'r hen reolau gwirion yna'n rheoli'ch bywyd chi,' brathodd Gwawr.

'Y cyw yn dysgu'r iâr i bigo eto,' sylwodd Mrs Griffiths yn sychlyd.

Doedd pethau ddim yn argoeli'n dda am funud, ond roedd Gwawr wedi rhoi'i meddwl ar fynd â Mrs Griffiths allan a gallai *hi* fod yn styfnig hefyd! Beth bynnag synhwyrhai na symudai'r hen wraig gam cyn i'r gwaith tŷ gael ei wneud. Felly, roedd yn rhaid cyfaddawdu ac er mwyn cael gwared â phob esgus posib, safodd i wynebu'r lle tân, 'Iawn 'ta, fe wna i'r aelwyd drosoch chi . . .'

'Wnei di ddim yn y dillad yna! Dillad glân i wneud job fudr! Na, os wyt ti'n mynnu, dos i olchi'r llestri 'ma ac fe a' i at y grât . . .'

'Fe fydda i'n gynt na chi ac fe ellwch chi baratoi'ch hun i ddod allan tra 'mod i wrthi,' mynnodd Gwawr, ei gên hithau mor gadarn â gên ei chydymaith. 'Ac mae'r ffedog 'na dw i'n 'i gwisgo ar ddydd Mercher . . .'

'Aros,' meddai Mrs Griffiths, yn ymlacio mymryn. Aeth i whilmentan yn nrôr y seidbord. Estynnodd becyn i Gwawr. 'Gwisg honna a'r ffedog dros ei phen hi.'

Ofyról neilon newydd sbon oedd yn y pecyn.

'Dach chi'n siŵr eich bod chi am i mi wisgo hon?' gofynnodd Gwawr.

'Wisga i mohoni fyth, gormod o flodau drosti gen i a dw i'n amau a fyddai'n ddigon o faint i mi erbyn hyn . . . Gwisga di hi– arbed dillad ydi swydd ofyról 'ntê?'

Gwisgodd Gwawr yr ofyról. Roedd yn dynn arni hithau a thybiodd mai dyma un o anrhegion hael Meriel i'w mam. Os felly, fe ddylai deimlo'n freintiedig iawn, neu efallai fod Mrs Griffiths yn graffach ei gwerthfawrogiad o gonsyrn Meriel amdani nag oedd hi'n cyfaddef. Ond wrth ennill brwydr yr ofyról roedd hi'n fwy tebyg o ildio ynglŷn â'r trip i'r dre.

Ac fe wnaeth; nid heb golli calon unwaith neu ddwy eto, ond erbyn i Gwawr orffen glanhau'r aelwyd a gosod tân oer yn barod erbyn i'r ddwy gyrraedd yn ôl, roedd Mrs Griffiths fwy neu lai yn barod. Roedd hi wedi hel ei bag siopa, ei phwrs, a'i chôt a oedd eisoes ar ganllaw'r grisiau. Roedd hi wedi dod â'r gôt i lawr gyda hi o'r llofft wrth godi ac wedi digalonni wedyn, yn ôl pob tebyg.

Aeth Gwawr i ymolchi i'r gegin gefn a hongiodd yr ofyról ar yr hoelen gyda'r ffedog.

'Wnei di gribo 'ngwallt i?' gofynnodd Mrs Griffiths yn wylaidd, pan aeth yn ei hôl i'r gegin. 'Hoffwn i ddim . . .'

'Wrth gwrs y gwna i. Eisteddwch yma.'

A dyna gribo'r gwallt. Roedd gwisgo côt yn dipyn o berfformans, gan fod yr hen wraig yn cael anhawster i roi ei breichiau i'r llewys. Wedi llwyddo i wneud hynny, a phan oedd Gwawr yn cau'r botymau, cofiodd am ei het! Roedd honno'n dal yn y llofft.

'Dowch heb het,' anogodd Gwawr. 'Dydi hi'n oer allan ac mae gennoch chi drwch o wallt, fyddai merch ifanc yn falch i'w ddangos . . .'

'Merch ifanc efallai, ond dydi hynny ddim yn esgus i wraig yn f'oed i fynd i gerddded heb het ar ei phen! Be fasai pobl yn meddwl?' Ac eto oedd meddwl am ddringo'r grisiau'n gas ganddi.

'Fe a' i i'w nôl,' awgrymodd Gwawr yn betrus, oherwydd roedd hi'n gwybod mor gas oedd gan Mrs Griffiths i neb chwilmantan drwy'i phethau . . .

'Mae hi yn y wardrob yn y stafell flaen,' atebodd, yn syndod o ddiffwdan, 'Ar y silff uwchben y dillad; yr un frown . . .'

Pan glywodd Gwawr y cyfarwyddiadau, tyfodd ddwy fodfedd. Dyma brawf sicr fod yr hen wraig wedi'i derbyn a'i bod yn ymddiried ynddi.

Dyma'r tro cyntaf iddi hi fynd i'r stafell wely fwya—dim ond yr ail dro iddi hi fynd i'r llofft o gwbl, ac fe'i siomwyd ar yr ochr orau. Roedd carped ar y llawr, wedi'i dreulio mewn mannau, rhaid cyfaddef, ond cymaint mwy cysurus na'r leino yn y stafell gefn. Ac er bod y dodrefn yn henffasiwn, roedd pob dim yn weddus. Trodd at y wardrob fawr a'r drych yn ei ddrws. Wrth ei hagor llanwyd ei ffroenau â chwa nerthol o oglau camffor. Roedd y wardrob yn orlawn o ddillad wedi'u gwasgu at ei gilydd, ac yn cynnwys siwt i ddyn yn ogystal â dillad benyw. Doedd ffeiriau sborion y cylch ddim wedi elwa llawer ar draul Mrs Griffiths! Ond ar y silff yr oedd yr hetiau a byddai wedi bod wrth ei bodd yn mynd drwyddynt.

Roedd hi'n amau iddi weld bowler yn eu plith ond nid sbrotian oedd ei bwriad heddiw ac estynnodd yr het *velour* frown a welai ar y blaen. Tynnodd hi lawr a charlamu'n ôl dros y grisiau i'r gegin.

'Fe fuest ti'n hir,' cyhuddodd Mrs Griffiths yn ddrwgdybus.

'Do, debyg,' atebodd Gwawr. 'Mae'n cymryd amser i droi a thwmlan popeth sy gennoch chi.'

Gwenodd yr hen wraig. 'Fuost ti ddim mor hir â hynny chwaith,' meddai. 'Fi sy'n groendenau.' Ac roedd cyffesu hynny'n awgrym pellach bod Gwawr wedi ennill ei lle . . .

Llwyddodd i wisgo'r het drwy blygu'i phen i gwrdd â'i dwylo. Wnâi hi ddim caniatáu i Gwawr ei rhoi ar ei phen ar unrhyw gyfrif a mynnodd gael edrych yn y drych i wneud yn siŵr ei bod yn daclus.

''Dach chi'n ofnadwy o falch,' plagiodd Gwawr, er ei bod hi'n synnu braidd. Sut gallai hen wraig oedd bron yn ddau ddwbl a phlet ymfalchïo yn ei golwg?

'Fynna i ddim i neb 'y ngweld i'n flêr. Fyddai'n well gen i aros adra. Rŵan, dos di i daro'r bollt ar ddrws y cefn,' meddai Mrs Griffiths.

Bu'n rhaid i Gwawr gloi'r drws ffrynt yn ogystal am na allai bysedd Mrs Griffiths droi'r allwedd fawr, hen-ffasiwn. Ond mynnodd ei rhoi yn ei bag llaw. 'Fe fydda i'n gwybod ei bod hi'n ddiogel yma,' meddai.

Cerddai'n araf iawn at arosfan y bws. Ond ni châi Gwawr gario'i bag llaw na'i bag siopa. A wnâi hi ddim cymryd ei braich chwaith. 'Na,' meddai'n ddiamynedd, 'dw i ddim 'di methu eto.'

Nhw oedd yr unig ddwy i ddringo i'r bws o'r arosfan honno a diolchai Gwawr am hynny, oherwydd i Mrs Griffiths gymryd cymaint o amser. Ond chwarae teg i'r gyrrwr, cododd o'i le a gafael yn ei breichiau a fwy neu lai ei chodi dros y ddau ris. Teimlai Gwawr yn ffôl yn sefyll y tu ôl iddi. Doedd hi ddim yn siŵr a ddylid helpu drwy wthio, ond gadael llonydd iddi wnaeth hi. Doedd dim angen gwneud mwy o sioe nag oedd raid.

Wedi eistedd yn y blaen ac egluro'n ddiangen ei bod ar ei phensiwn ac yn cael talu â thocynnau'r Cyngor, sioncodd Mrs Griffiths yn rhyfeddol. Edrychai allan drwy'r ffenest gan gyfeirio at lefydd oedd wedi newid ers pan oedd hi'n ifanc; ystadau newydd o dai wedi'u codi ar dir pori; siopau lle bu stryd o dai; ysgol y babanod ar safle hen lofa; roedd hi'n llawn gwybodaeth a chyrhaeddon nhw ganol y dre cyn i Gwawr sylweddoli bron.

Gan eu bod nhw wedi oedi mor hir cyn mynd allan, roedd 'na brysurdeb yn hel yn y dre. A phan ofynnodd Gwawr, wrth dywys Mrs Griffiths allan o orsaf y bysus, 'Ble hoffech chi fynd gynta?' sbio'n fud o'i chwmpas ar yr holl fynd a dod wnaeth yr hen wraig.

'Mae'r lle 'ma 'di newid ers bues i 'ma ddwytha,' meddai o'r diwedd, yn amheus braidd. 'O ble mae'r holl bobl 'ma'n dod, dywed?' Ac yna'n magu hyder, 'Ble mae'r

Co-op? Roedd 'na Go-op fawr ond rhyw ugain llath ar y chwith acw . . .'

'Os oeddech chi'n meddwl bod honno'n fawr, fe ddylsech weld y Co-op newydd,' meddai Gwawr, 'Fe gafodd ei hagor flwyddyn i'r Nadolig dwytha. Mae'n fwy na theirgwaith maint yr hen un ond mae o ar gyrion y dre. Byddai'n rhaid i ni logi tacsi . . .'

'Bobl bach! Woolworth! Siawns bod Woolworth yn dal yma?'

Roedd Woolworth wedi ehangu hefyd ond roedd yn dal ar yr un safle. O gam i gam, gan aros am seibiant bach bob hyn a hyn, dyna nhw'n ymlwybro drwy'r stryd at y siop, i dreulio hanner awr fach ddifyr. Gwawr gariodd y fasged o stondin i stondin, tra dewisai Mrs Griffiths hynny a fynnai; rholyn o gortyn, pecyn o gardiau post plaen a bu am amser hir yn dewis ychydig o fferins o'r stondin dewis a chymysgu. 'Syniad da 'di hyn,' meddai'n ychwanegu dau fint brown at y gelc.

Wedi mynd o un pen y siop i'r llall, ac wedi gwrthod mynd i'r ail lawr, er bod yno risiau symudol i'w chario, rhyfeddai Mrs Griffiths am nad oedd Woolworth yn gwerthu bwyd bellach. Gwrthododd yn bendant gael tynnu'i llun yn y bwth bach cyfleus yn ymyl un o'r drysau a throdd am y drws.

'Ble nesa?' gofynnodd Gwawr.

'Adre,' meddai. 'Dw i 'di cael fy nhrip.'

'Ond 'dach chi 'mond wedi bod mewn un siop,' protestiodd Gwawr.

'A hynny'n ddigon. Dw i wedi gweld mwy nag a ga i. Tyrd.'

'Beth am baned fach mewn caffi? Fe gaech gymryd eich gwynt atoch ac mae llymaid cynnes yn codi'r galon . . .'

Ceisiodd Gwawr ymestyn y profiad. Wedi'r cyfan dyma'r tro cyntaf i Mrs Griffiths fod allan ers oes pys . . .

Ond na! 'Tro nesa e'lla.'

'Bryd fydd hynny? Ymhen tair blynedd eto?'

'Gawn weld.'

Sylwodd Gwawr fod golwg flinedig ar yr hen wraig a chlytiau fymryn llwytiach na gweddill ei hwyneb newydd ymddangos dan ei llygaid. Ddadleuodd hi ddim mwy ond rhoi'i llaw dan ei braich hi. 'Dowch,' meddai, ac ni wrthododd Mrs Griffiths ei help ar y ffordd 'nôl i orsaf y bysys.

Eisteddodd yr hen wraig yn dawel ar y ffordd adre, heb sgwrsio dim. Ofnai Gwawr i'r daith fod yn ormod iddi a bu'n dringar iawn ohoni wrth gerdded at y tŷ. Dwy awr fuon nhw allan i gyd ac roedden nhw'n ôl erbyn cinio.

Wedi mynd i mewn, disgynnodd Mrs Griffiths i'w chadair fawr heb dynnu'i het na'i chôt na dim. Brathai Gwawr ei gwefus wrth ei gwylio'n nerfus.

Wedi ochneidio'n drwm ddwy waith, 'Ew, mi wnes i fwynhau hynny,' meddai Mrs Griffiths a chododd baich oddi ar ysgwyddau Gwawr. Gwenodd. Fe fu'r trip yn llwyddiant. '. . . yr holl bobl yna . . . Wn i ddim pryd bues i yn siop Woolworth ddwytha. Dw i'n cofio Woolworth yn agor 'nôl yn . . . 'nôl yn . . . dw i'm yn cofio'n iawn, ond roedd pob dim am chwech neu dair ceiniog; hen geiniogau, cofia. Dyna'r broliant. Popeth am chwech neu thair a jympers bach del yn y ffenest. Pawb yn tyrru i'r siop yn gobeithio am fargen, ond erbyn deall—chwechyn am lawes a thair ceiniog am goler ac ati oedd y pris a'r prynwr yn gorfod gwnïo'r tameidiach at ei gilydd ei hun . . . Twyll oedd o 'sti . . . ond roedden ni mor ddiniwed bryd hynny . . .' Chwarddodd ac roedd yn amlwg ei bod hi wedi cael modd i fyw y bore hwnnw a theimlai Gwawr yn gynnes, braf a bodlon.

'Be nesa?' gofynnodd.

'Aros i mi ddod ata i'n hun yn iawn ac wedyn gawn ni damaid o ginio. Ond cynnig fatsen i'r tân gynta. Dda gen i'm gweld y grât yn oer.'

'Fe wna i ginio,' meddai Gwawr. 'Be gymrwch chi?'

'Mae tun o gawl a thorth yn y cwpwrdd,' meddai Mrs Griffiths, 'hen ddigon i ddau.'

Doedd fawr ddim heblaw am duniau cawl yn y cwpwrdd. Ofnai Gwawr mai dyna oedd cinio arferol Mrs Griffiths ond roedd yn rhy swil i ofyn. Cofiodd fod y Cinio Parod yn dod bob dydd Mercher o leiaf, efallai'n amlach ac y câi'r hen wraig fwyd iawn bryd hynny.

Pan oedden nhw ill dwy'n eistedd wrth y bwrdd a'r cawl yn stemio o'u blaenau, 'Rŵan, estyn ato,' anogodd Mrs. Griffiths, 'rwyt ti'n gartrefol yma bellach.'

A theimlai Gwawr ei bod hi. Wedi gorffen, teimlai'n gyndyn iawn o ymadael, a rhywsut, o stori i stori a hanesyn i hanesyn, daeth yn amser te a chafodd grasu bara o flaen y tân ar fforc bres hir. Synnodd weld bod yna fenyn i'w daenu ar y tost.

'Pensiynwyr yn cael menyn yn rhad,' eglurodd y westeiwraig. 'Dydi mynd i oed ddim yn ddrwg i gyd.'

'Mae *margarine* yn fwy llesol . . .' mentrodd Gwawr, yn wybodus iawn ac ar yr un pryd yn llyfu'r menyn oddi ar ei gwefus a chael blas arbennig o dda arno.

'Dw i'n rhy hen i boeni am hen ffads fel'na,' meddai Mrs Griffiths, 'a waeth be ddywed neb, dydi marj ddim 'run fath â menyn. Fuon ni fyth yn gefnog, Duw a ŵyr, ond fuodd 'na erioed farjarîn ar y bwrdd 'ma, heblaw yn ystod y dogni amser rhyfel. Doedd o ddim yn beth derbyniol, bwyta margarîn, pan oeddwn i'n iau. Bwyta di'r menyn a'i fwynhau o.'

Ufuddhaodd Gwawr i'r fath raddau nes iddi gywilyddio o weld cyn lleied o'r dorth oedd ar ôl pan gododd i roi'r pethau i gadw. 'Paid â phoeni,' meddai Mrs Griffiths, 'Mae 'na un arall yn y cwpwrdd. Dw i'n cadw digon o fara yn y tŷ . . .'

Cyndyn iawn oedd Gwawr i adael 5 Stryd y Bont y noson honno. Teimlai fod rhyw ddealltwriaeth arbennig iawn wedi tyfu rhyngddi a Mrs Griffiths, efallai wrth grasu'r bara o flaen y tân yn sŵn straeon yr hen wraig. Er mai tlodaidd oedd y tŷ, roedd hi'n deall yn iawn pam na fynnai Mrs Griffiths symud. Roedd yn gartre . . . Ochneidiodd wrth gerdded dros y lôn at ddrws Afallon.

6

Aeth y flwyddyn yn ei blaen a'r haf hwnnw cawson nhw dri thrip i'r dre. Roedd hi'n ymddangos fel pe bai Mrs Griffiths yn mwynhau pob un er na fynnai aros yn hir unrhyw dro, a nerfus oedd hi i fentro ymhell. Dim ond i un siop yr âi, felly byddai Gwawr yn sicrhau eu bod yn ymweld â siop wahanol bob tro. Teimlai iddi ennill buddugoliaeth pan ildiodd yr hen wraig i gymryd paned a bynsen yng nghaffi Tesco ar yr ail drip. Roedd y caffi bach mor gyfleus yn ymyl y drws ac am fod Mrs Griffiths wedi blino ar ôl cerdded drwy'r rhesi a rhyfeddu at yr amrywiaeth o fwydydd oedd ar gael yno, doedd ganddi hi ddim esgus dros beidio â chymryd seibiant. Canmolodd y baned hefyd er ei bod hi'n gwaredu at ei phris.

'Does dim pen draw i raib ambell siopwr,' beirniadai'n uchel, er difyrrwch i sawl un o'r cwsmeriaid eraill.

Daliodd Gwawr i alw'n achlysurol yn 5 Stryd y Bont yn ystod gwyliau'r haf ac ailgychwynnodd ar yr ymweliadau swyddogol bob bore Mercher, ym mis Medi.

Dathlai Gwawr ei phen blwydd ym mis Tachwedd ac yn erbyn ei hewyllys, fe drefnodd Sylfia barti iddi, fel y gwnaethi ar hyd y blynyddoedd. Parti min nos eleni gan ei bod hi'n un ar bymtheg. Pwysodd arni i wahodd ei ffrindiau i gyd, yn ferched a bechgyn, heb ddeall nad oedd gan Gwawr lawer o ffrindiau agos. Ond er mwyn plesio Sylfia, gwnaeth Gwawr ei gorau i hel rhyw griw o'r dosbarth at ei gilydd. Parti ffurfiol iawn oedd o gan fod John a Sylfia'n *mynnu* bod yno, ac er iddyn nhw aros yn y stafell fwyta a gadael y lolfa i'r bobl ifainc, roedd hi'n anodd ymlacio, hyd yn oed wedi'r bwyd. Pam na allen nhw fynd allan, fel rhieni Mared, gan adael y bobl ifainc i fwynhau yn eu ffordd eu hunain. Ond na, roedd Sylfia'n ormod o hen drwyn, ac yn poeni, hwyrach, rhag ofn i rywbeth ddigwydd i'w chelfi a'i charpedi. Doedd dim angen iddi bryderu dim. Bu pawb ar eu gorau; wnaeth neb orfwyta na chwerthin yn rhy gras na chodi'r sŵn ar y recordydd yn uchel. A'r canlyniad oedd i bawb ddechrau hel esgusodion i fynd adre gan gychwyn tua naw o'r gloch. Erbyn hanner awr wedi, roedd pawb wedi mynd—y rhan fwyaf i'r disgo yn y Ganolfan Hamdden, ac roedd Gwawr yn falch o gael eu cefnau. Awgrymodd Sylfia y dylai hi fynd gyda nhw ond gwrthod wnaeth hi. Roedd dwyawr o gwmni'i chyfoedion yn hen ddigon. Beth bynnag, ar ôl cael parti, teimlai y dylai hi helpu i dacluso'r tŷ er nad oedd neb wedi gofyn iddi wneud. Yr hen euogrwydd hwnnw yn ei gyrru unwaith eto!

Ond doedd hynny ddim yn ddrwg i gyd, oherwydd wrth roi sbarion y danteithion mewn tuniau gallodd roi dewis da o fwydydd mewn tun arbennig a mynd ag o i'r llofft heb i Sylfia sylwi. A'r bore wedyn, bore Sadwrn, cafodd barti arall oedd fwy wrth ei bodd, wrth rannu'r bwyd gyda Mrs Griffiths.

Drwgdybus oedd yr hen wraig pan agorodd Gwawr y tun. 'Does dim angen i ti gario bwyd yma,' meddai'n ddig. 'Mae gen i ddigon o arian i brynu hynny sy 'i angen arna i—a mwy.'

'Oes siŵr iawn,' brysiodd Gwawr i'w sicrhau, 'sbarion 'y mharti pen blwydd sy gen i a dw i am i chi gael siâr. 'Dach chi'n un o'm ffrindiau 'dydach? A dw i 'di bwyta digon ar eich traul chi.'

'Soniaist di ddim dy fod ti'n cael dy ben blwydd . . .' Amheus oedd Mrs Griffiths o hyd.

'Naddo, 'dach chi'n siarad cymaint dw i ddim yn cael cyfle i wthio 'mhig i mewn.'

'Dyna ddigon, dwyt ti ddim yn rhy hen i dderbyn clustan, cofia.'

Fe fwynhaodd y brechdanau, fodd bynnag, er nad oedd hi ddim mor siŵr o'r darnau *pizza* na'r rholiau selsig. 'Rhy hallt i mi,' eglurodd, gan estyn am rholyn ham wedi'i lenwi a chaws meddal. 'Mae hwn fwy at 'y nant i.' Cafodd flas ar y cacenni hefyd.

Mynnodd roi anrheg i Gwawr, cwpan a soser o'r set lestri gorau.

'Ond fe fyddwch yn torri'r set,' protestiodd Gwawr.

''Y musnes i 'di hynny. A chan 'mod i 'di mwynhau dy barti mae'n iawn 'mod i'n rhoi anrheg i ti. Heblaw am hynny, dw i am i *ti* eu cael er cof amdana i, wedi i ti roi'r gorau i alw yma.'

Roedd yn chwith gan Gwawr ei chlywed yn cyfeirio at yr adeg honno pan na fyddai esgus ganddi hi dros alw yn 5 Stryd y Bont ddim mwy. Roedd wedi anghofio'n lân mor filain y teimlai pan ddaeth yno'r tro cyntaf. Synnodd fel yr aeth yr ymweliadau yn gymaint rhan o'i bywyd. Cymerodd y llestri a'u cludo adre'n ofalus iawn.

Trefnodd nhw ar ei bwrdd gwisgo a phan deimlai'n unig neu wedi blino ar ôl gwneud ei gwaith cartre, byddai'n eu bodio, yn edmygu'r tsieni tenau a'r patrwm chwaethus a chael cysur o wneud hynny. Roedd yr hen wraig yn iawn, roedden nhw'n ddolen gyswllt rhyngddyn nhw ill dwy. Bron nad oedden nhw'n cymryd lle Eli gynt.

Fu Sylfia ddim yn hir cyn sylwi arnynt. 'Mae gynnot ti gwpan a soser del iawn yn dy lofft,' meddai un amser te ar ôl bod yn glanhau ar ei hanner diwrnod o'r *boutique*. 'Dda gen i weld dy fod ti'n magu chwaeth. Ymhle cest ti nhw?'

'Eu dwyn nhw,' atebodd Gwawr yn ddigywilydd.

'Paid â siarad lol. Glywaist ti hi, John?'

'Do. Pa siop? Lawley's?'

Giglodd Gwawr. Fe allai John wneud iddi chwerthin ambell dro ac aeth ati i lunio stori ynglŷn â sut y bu iddi hi a'i gang o ladron tsieni, ddwyn llond cist o lestri o siop yn y dre.

Doedd gan Sylfia fawr o amynedd â'r fath wamalrwydd ond roedd hi wedi dotio ar y gwpan a'r soser ac yn chwilfrydig yn eu cylch. Felly ar ôl y saga fawr, gofynnodd eto o ble cafodd Gwawr y llestri a chan fod hwyl dda ar Gwawr erbyn hynny, dywedodd wrthi, 'Gan hen wraig y bydda i'n ymweld â hi o bryd i'w gilydd.'

Bu'n rhaid egluro wedyn. A dyna'r tro cyntaf i John a Sylfia glywed am yr ymweliadau â chartre Mrs Griffiths, ond bu'n ofalus i ddatgelu dim mwy na'r hyn y dymunai iddynt ei wybod, a chlywson nhw ddim am yr ymweliadau dydd Sadwrn na'r teithiau i'r dre. Roedden nhw'n synnu nad oedd hi wedi dweud dim cyn hyn ond roedden nhw'n ymddangos yn ddigon cefnogol i'r gwaith.

'Fe wnaiff les i ti ddysgu sut mae pobl eraill yn gorfod byw,' oedd sylw Sylfia.

A dyna'r cyfan.

Ddiwedd tymor y Pasg daeth ei hymweliadau dydd Mercher i ben, gorffennodd Gwawr ei phrosiect Hanes a rhoi'r ffeil gysurus o drwchus, i mewn i'w hasesu. Doedd dim rheswm ganddi dros alw gyda Mrs Griffiths mwy, ond dal i alw wnaeth hi, ar ddydd Sadwrn. Allai hi ddim meddwl am beidio â mynd i'w gweld. Byddai wrth ei bodd â'r sesiynau clebran a'r ddwy yn tynnu ar ei gilydd o flaen y tân. Fe deimlodd hi'r fath falchder un diwrnod pan ofynnodd gyrrwr y bws ysgol iddi un bore, 'Sut mae dy nain?' Cofiodd iddo'i gyrru hi a Mrs Griffiths i'r dre un bore Sadwrn.

'Iawn, diolch,' atebodd, heb drafferthu egluro na theimlo'r angen i wneud hynny chwaith.

Daeth hi'n amser arholiadau ac yn ddiwedd tymor. Gadawodd Gwawr yr ysgol. Roedd hi wedi gofyn i'r wraig a ddôi i gynghori'r disgyblion ynglŷn â gyrfaoedd, a gâi hi weithio gyda phlant, ond heb fod ganddi'r un brawd na chwaer ei hun a heb unrhyw brofiad o warchod plant o gwbl, doedd gan honno ddim llawer i'w gynnig iddi, '. . . pe baech chi'n aros ymlaen ac yn ennill mwy o gymwysterau . . .'

'Na,' fynnai Gwawr mo hynny. Fe fu'n draul ar John a Sylfia yn ddigon hir, roedd yn ysu am fod yn annibynnol a chael ennill ei harian ei hun.

Yn y pen draw fe gafodd le fel prentis trin gwallt yn gweithio dan y Cynllun Hyfforddi Ieuenctid, ar yr amod ei bod hi'n cychwyn yn union ar ôl i'r ysgol gau gan fod y siop yn brysur yn yr haf. Doedd ganddi fawr o ddiddordeb mewn trin gwallt, ond roedd yn well ganddi wneud hynny na bod yn segur a dioddef dirmyg pobl oherwydd iddi hi fethu â chael cynnig swydd. A gwnaeth ei gorau glas i wneud pob dim a ddisgwylid ganddi.

Wrth gwrs doedd ganddi hi mo'r amser i alw heibio i 5 Stryd y Bont mor aml ar ôl dechrau gweithio. Roedd hi yn y siop drwy'r dydd gan gynnwys dydd Sadwrn ac am yr wythnosau cyntaf allai hi ddim meddwl am wneud dim gyda'r nos heblaw am fynd adre a mynd i'w gwely'n gynnar, a hithau wedi blino cymaint! Ond fe wnaeth ymdrech arbennig i fynd acw wedi iddi dderbyn canlyniadau'r arholiad. Teimlai fod gan Mrs Griffiths hawl i wybod iddi hi gael C yn Cymdeithaseg a B anhygoel yn Hanes. Roedd yn sicr mai'r prosiect oedd yn gyfrifol am y B ac i Mrs Griffiths oedd y diolch am gynnwys hwnnw bron i gyd.

Felly galwodd yn Stryd y Bont a rhannu'i llwyddiant gyda'i chymwynaswraig ar ei ffordd adre o'i gwaith.

'Roeddwn i'n amau o'r cychwyn dy fod ti'n well am wrando ar stori na thorchi llawes,' plagiodd yr hen wraig wrth gymharu'r C a'r B ond roedd yn amlwg ei bod hi wrth ei bodd.

Wedi cyfarwyddo â'i gwaith, galwai Gwawr gyda Mrs Griffiths yn amlach, ar ddydd Iau, ei phrynhawn rhydd fel arfer. Wrth i'r gaeaf gau amdanynt allai hi ddim peidio â sylwi bod yr hen wraig yn llai sionc nag y bu. Cadwai'n fwyfwy caeth i'w chadair heb ymdrechu llawer i wneud dim drosti'i hun. Eto byddai'n mwynhau straeon Gwawr am y cwsmeriaid a ddôi i'r siop a'r eithafion yr âi rhai iddynt er mwyn ymdddangos yn ddel. Ond ambell dro byddai'n hepian ar hanner stori ac anaml iawn y fflachiai'r hen sylwadau bachog hynny dros ei gwefusau.

Gwelai Gwawr golli'r miniogrwydd a gobeithiai mai'r gwres yn y gegin oedd y rheswm dros y cysgu anorfod. Ond pryderai amdani, ac un prynhawn gofynnodd iddi hi sut roedd hi'n ymdopi â chynnau'r tân. Clywodd fod Mrs Best, ar gais yr Adran Les, yn dod i mewn bob dydd bellach yn unswydd i wneud hynny, yn ychwanegol at yr awr dydd Llun ac ar ddydd Gwener i dwtio. Deallodd Gwawr fod yr Adran Les hefyd yn barnu ei bod hi'n gwaethygu a theimlai'n boenus o drist.

Un prynhawn Iau, ddiwedd Tachwedd, synhwyrodd fod rhywbeth yn pwyso ar feddwl Mrs Griffiths. Arhosodd nes bod paned o'u blaen cyn holi beth oedd yn bod. Ac er iddi hi gychwyn drwy wadu bod dim o'i le, ac yna mynnu nad oedd yna ddim na allai hi ymdopi ag o, o dan daerineb Gwawr, estynnodd i blygion ei chardigan a chynnig amlen frown iddi.

'Darllen gynnwys honna,' anogodd yn ofidus.

Fe wnaeth Gwawr a welai hi ddim ynddo i beri pryder. Gwahoddiad i dreulio wyth niwrnod dros y Nadolig a'r Flwyddyn Newydd yn Heulfryn, Cartre'r Henoed ydoedd.

'Mae hynny'n grêt,' meddai. 'Fe gewch chi gwmni a lot o hwyl a rhywun arall i baratoi'r bwyd . . . Fe fydd yn wyliau gwerth chweil . . .'

'Cam cynta ydi o,' meddai'r hen wraig yn ddigalon. 'Maen nhw am i mi fynd yno i fyw a dyma'u ffordd nhw o roi pwysau arna i. Fe fydda i'n llai o drafferth iddyn nhw yno . . . Ond does dim achos i mi fynd i unman—on'd ydw i'n dod i ben yn iawn yma?'

'Ydych, wrth gwrs,' cytunodd Gwawr ond gwyddai nad oedd Mrs Griffiths mor abl ag y bu hi ac y byddai'n rhaid iddi hi ildio rywbryd—ond nid eto siawns. 'Does dim angen i chi boeni,' cysurodd. 'Dim ond am ychydig o ddyddiau 'di hyn. Fe gewch ddod yn eich hôl wedyn. Fe wnaiff newid bach fyd o les i chi.'

'Paid ti â siard â mi fel 'tawn i'n blentyn,' meddai'r hen wraig a'r hen lymder yn ei llais. 'Nid ddoe ces i 'ngeni, cofia.'

'Yfwch eich te cyn iddo oeri,' anogodd Gwawr, 'a rhowch y gorau i rwdlan. Fe ddo i i'ch helpu chi i bacio ac fe wna i'n siŵr mai dim ond digon o ddillad i bara am ychydig ddyddiau fydd yn y cês, ac os mynnan nhw'ch cadw chi yno, fe ddo i a'ch cipio chi o'na.'

'Gobeithio na ddaw hi ddim i hynny,' meddai Mrs Griffiths ond roedd 'na wên yn hofran o gwmpas ei gwefusau.

Ddaeth hi ddim i hynny ac ni allai gelu rhag Gwawr, pan alwodd honno ganol mis Ionawr, cymaint y bu iddi fwynhau ei hun dros y Nadolig. Doedd o ddim byd tebyg i'r Wyrcws, eglurodd gan ddweud fel y cyfarfu â sawl un a fu yn yr ysgol yr un pryd â hi a chael rhannu atgofion bore oes gyda nhw. Cyfarfu ag un hen wraig a fu'n byw am gyfnod yn Stryd y Bont ac roedd honno druan, mewn cyflwr llawer gwaeth na hi, '. . . er ei bod hi'n ddwy flynedd lawn yn iau na mi,' meddai, 'prin y gallai hi gerdded gan ei bod wedi torri asgwrn y forddwyd a doedd o ddim yn mendio'n rhy dda; roedd hi'n gorfod eistedd mewn cadair olwyn a chael ei gwthio o un stafell i'r llall.'

Mae'n debyg i Mrs Griffiths gymryd at wthio'r gadair olwyn ac roedd cael cymdoges i sgwrsio â hi wedi codi calon y wraig druan yn rhyfeddol.

'Roedd yn dda gen i wneud rhywbeth dros rywun arall am newid bach, yn lle bod pobl yn gwneud drosta i o hyd,' eglurodd yn fodlon wrth Gwawr.

Broliai'r gweinyddwyr yn fawr hefyd a'r amrywiaeth bwyd . . . 'A bore dydd Nadolig, fe gawson ni i gyd lymaid bach o sieri gan y metron, i dwymo'n calonnau ni . . .'

Bu'r ymweliad yn llwyddiant, a diolchai Gwawr am hynny.

Ddiwedd Ionawr, Gwawr oedd dan y don. Roedd cyfnod y Grant Hyfforddi wedi dod i ben a chafodd ei chardiau o'r siop drin gwallt. Doedd hi ddim yn hidio cymaint â hynny am golli'r swydd—ar weithio efo plant y rhoes ei bryd ers blynyddoedd, ond teimlai'n siomedig yr un fath. Teimlai'n fethiant er iddi wneud ei gorau i blesio a gwyddai fod y cwsmeriaid yn ei chanmol.

Er syndod iddi roedd Sylfia'n cydymdeimlo. 'Dw i'n synnu dim,' meddai, pan dorrodd Gwawr y newydd iddi hi a John. 'Mae'n gywilydd fel mae rhai o'r llefydd bach 'ma'n trin pobl ifainc ar y *Y.T.S.* Dim ond eisie grant i dalu'u cyfloge maen nhw a phan ddaw hwnnw i ben, estyn blaen troed wnân nhw wedyn. Pam nad ei di i ddysgu gwnïo? Fe gaet ddod ata i i'r *boutique* wedyn ac fe fyddet yn siŵr o gael dy drin yn deg . . .'

Ond fynnai Gwawr mo hynny. Roedd yn dal yn ddrwgdybus o Sylfia a fynnai hi ddim gweithio mewn siop ddillad. 'Eisie gweithio efo plant ydw i,' meddai.

'O'r annwyl, alla i mo dy helpu di fan'na,' meddai

Sylfia, ond heb ddadlau dim. 'Gwell i ti roi d'enw i lawr yn y Ganolfan Swyddi fory a mynd i holi os wyt ti'n cael derbyn dôl. Dw i ddim yn siŵr ynglŷn â phobl ifainc a fu ar y *Y.T.S.* . . .'

Doedd gan y Ganolfan Swyddi ddim i'w gynnig iddi hi ar y pryd. Gwnaeth y ferch y tu ôl i'r ddesg nodyn o'i manylion—ei henw a'i chyfeiriad a'i chymwysterau gan addo gadael iddi hi wybod pe bai rhywbeth addas ar gael ond fe'i cynghorai i alw heibio'n rheolaidd yn ogystal.

'Mae swyddi da'n mynd mor gyflym,' meddai, 'cyn ein bod ni'n cael cyfle i deipio cerdyn i'w roi yn y ffenest, heb sôn am anfon y manylion allan.'

Cofrestrodd i dderbyn budd-dal y dôl a chan nad oedd fawr o wahaniaeth rhwng hwnnw a'i chyflog ar y Cynllun Hyfforddi, doedd hi dim llawer gwaeth ei byd yn faterol, ond roedd arni gywilydd bod yn segur. Chwyddai'r tonnau hynny o euogrwydd oedd wedi llifo drosti'n achlysurol gydol ei hoes, nes bygwth ei boddi bellach.

Doedd dim llawer i'w wneud gartre er iddi gynnig glanhau'r tŷ. Roedd Sylfia wedi hen arfer gwneud hynny serch bod ganddi swydd; doedd ganddi ddim ffydd yng ngallu neb arall i gadw'r lle yn union fel y dymunai hi.

'Defnyddia di d'amser yn chwilio am waith,' cynghorai'n raslon. 'Dyna sy'n bwysig. Dos i'r llyfrgell a chwilio yn y papurau newydd . . . a chadwa'n effro i unrhyw si glywi di . . .'

Roedd Gwawr yn gwneud hynny ond doedd o ddim yn llenwi'r diwrnod, a chadwai fwy iddi hi'i hun gan osgoi pawb o'i chydnabod. Ni fynnai ddatgelu wrth neb ei bod hi ar y dôl—yn fethiant! Ac er iddi fynd cyn belled â Stryd y Bont sawl gwaith a'i bryd ar alw gyda Mrs Griffiths, troi i ffwrdd heb fynd at y drws a wnâi. Doedd hi ddim am gyffesu wrthi hi, hyd yn oed, ei bod hi wedi cael sac; allai hi ddim dioddef i'r hen wraig gael ei siomi ynddi. Darbwyllai'i hun y byddai'n haws galw wedi iddi gael swydd newydd neu o leiaf obaith am swydd, ond wrth i un wythnos ddilyn y llall a dim swydd yn dod, aeth yn fwyfwy anodd torri'r garw. Treuliai fwy a mwy o amser yn ei gwely, yn codi'n hwyr ac yn mynd i orwedd yn y prynhawn. Pan âi allan i nôl ei siec dôl, y cyfan a wnâi fyddai galw am baned mewn caffi diolwg, nid nepell o'r is-swyddfa bost lle codai'r arian, cyn ei throi hi am adre eto. Ni fynnai fynychu unlle lle byddai'n debygol o gwrdd â neb o'i ffrindiau ysgol. Nid bod Mared na Sioned yn gweithio chwaith, wel, nid yn ennill—dal yn yr ysgol roedden nhw yn paratoi i ddilyn 'Gyrfa' gydag G fawr. Cadw o'u ffordd fyddai orau yn ei diflasdod presennol, dybiai hi.

Yno, yn y caffi roedd hi'r pnawn hwnnw a newydd dderbyn cwpaned o goffi a phastai Eccles pan sylwodd ar ferch arall, tua'r un oed â hi, yn dod i mewn ac yn camu at y bwrdd nesaf ati. Roedd wedi'i gwisgo'n fwy chwaethus na'r rhelyw o gwsmeriaid y caffi; planai ei sodlau i'r llawr â stamp herfeiddiol oedd yn tynnu sylw ati hi'i hun, ond roedd gwg ar ei hwyneb. Eisteddodd ar ei phen ei hun ac archebu paned o goffi du. Cyn i'r coffi gyrraedd, ymunodd bachgen â hi. Roedden nhw'n eistedd yn ddigon agos at Gwawr ac yn siarad yn ddigon uchel iddi fedru clywed eu sgwrs heb glustfeinio dim.

'Mae o'n ddigon del,' cynigiodd y bachgen, fel petai'n ymddiheuro.

'Be wyt ti'n mynd i'w wneud?' heriodd y ferch yn ffyrnig ac anwybyddu'r sylw. 'Mae'n rhaid i ti feddwl am rywbeth oherwydd ydw i'm 'i eisie fo. Dallta, dydw i ddim.'

'Be alla i ei wneud?' gofynnodd o. 'Dw i'n dal yn 'rysgol . . .'

'Y *Tec*!'

'Y *Tec* 'ta a phe baen ni'n priodi, fyddai gennon ni unlle i fyw. Fel mae pethau rwyt ti'n gysurus efo dy rieni . . .'

'Cysurus ydi dy ddisgrifiad di, ia? Wel, dallt di hyn, dydi Dad a Mam ddim yn mynd i ddiodda'r ddau ohonon ni dan eu to nhw am byth. Ti wnaeth y cawl. Mae'n rhaid i ti wneud rhywbeth.'

'Ond be?'

Roedd ei lais yn codi.

'Be wn i? Ond rhywbeth . . . Fe allen ni gael carafán . . .'

'Ar grant? Dwyt ti'm yn gall.'

'Os nad wyt ti am wneud dim, fe wna i ac fe fydd yn edifar gen ti, dw i'n addo. Dydw i ddim eisie'r babi fel maen melin . . .'

Pan glywodd Gwawr y gair 'babi', fe ddeallodd achos y gynnen a chododd a brasgamu at y drws. Allai hi ddim gwrando mwy, roedd y ffraeo'n rhy boenus iddi.

Ar y palmant y tu allan i'r caffi roedd pram wedi'i barcio a'i orchudd i fyny. Ni allai Gwawr beidio â mynd i sbecian. Bu'n syllu arno am hydoedd. Cysgai'r babi'n esmwyth, a rŵan ac yn y man wrth anadlu, chwythai fybl fach dryloyw drwy'i wefusau hanner agored. Ai dyma'r babi roedd y ferch yn y caffi'n cyfeirio ato? Yr un doedd arni mo'i eisie? Mae'n rhaid. Doedd 'na'r un babi arall yn agos . . . Sut gallai hi fod mor galed a hithau'n fam iddo?

Heb feddwl mwy na hyd yn oed sicrhau nad oedd neb

yn ei gweld, dechreuodd Gwawr wthio'r pram ar hyd y stryd gan frasgamu o olwg y caffi a'r fam ddiofal.

Wedi i'w dicter at y fam dawelu rhywfaint, dechreuodd drefnu. Allai hi ddim mynd â'r babi i Afallon. Fe gâi Sylfia ffit. Ond fe allai fynd ag o at Mrs Griffiths. Roedd Mrs Griffiths wedi byw'n hwy ac roedd wedi gweld a dioddef mwy. Fe fyddai hi'n deall. Ac roedd y llofft gefn yn wag! Fe allai hi, Gwawr, a'r babi rannu'r llofft honno, a fyddai dim angen i Mrs Griffiths bryderu ynglŷn â chael ei chludo o'i hanfodd i Heulfryn. Fyddai dim rhaid iddi orffen ei dyddiau ymhlith dieithriaid, wel, rhai dieithriaid, wedyn gan y byddai hi, Gwawr, yno i edrych ar ei hôl. A chan ei bod hi, drwy lwc yn ddi-waith, dyna fyddai ei gwaith hi o hyn ymlaen, edrych ar ôl Mrs Griffiths a'r babi yn 5 Stryd y Bont. Ers blwyddyn neu fwy roedd wedi meddwl am y tŷ bach fel ail gartre iddi hi. Rŵan câi fynd i fyw yno'n gyfan gwbl! Wnâi Mrs Griffiths ddim codi rhent arni, roedd hi'n siŵr o hynny, a gallai gyfrannu at gostau bwyd allan o'i dôl. Wrth fynd yn ei blaen, gwelai'r darnau'n syrthio'n dwt i'w lle a bywyd gwell yn ymagor o flaen y tri ohonyn nhw . . . y babi, Mrs Griffiths, a hi'i hun. Canmolai'i hun wrth gamu'n hyderus yn ei blaen.

Pan gyrhaeddodd 5 Stryd y Bont a chodi'r pram dros garreg y drws, cafodd groeso anghyffredin gan Mrs Griffiths. Dotiai hithau ar y babi hefyd er na fynnai ei godi yn ei breichiau, 'Rhag ofn i mi ei ollwng, y peth bach,' meddai. Ac yna, wedi gorffen cyfarch a rhyfeddu, 'Rwyt ti 'di rhoi'r gore i weithio yn y siop drin gwallt felly,' meddai.

Tynnodd Gwawr wyneb. Waeth iddi hi ddweud y gwir ddim, 'Nhw gafodd wared arna i,' meddai, 'ers bron i chwe wythnos bellach.'

'Y peth gorau allai fod wedi digwydd, a tithau wedi cael gwaith mwy wrth dy fodd yn gwarchod 'run bach 'ma,' meddai Mrs Griffiths yn gysurlon.

Llyncodd Gwawr ei phoer. 'Nid 'y ngwaith i ydi edrych ar ôl y babi,' meddai. 'Dw i ar y dôl.'

'Hen dro,' cydymdeimlodd yr hen wraig, 'gwneud cymwynas â'i fam o wyt ti felly. Gwell hynny na hel meddyliau.'

Ar hynny, dyma'r babi'n crio, cri denau a dynnai wrth dannau calon y caletaf o ddynion. Ac arbedodd hynny Gwawr rhag egluro dros dro.

'Ga i wneud llymaid iddo?' gofynnodd. 'Mae pob dim gen i yn y pram.'

'Gwna di fel y mynni di,' meddai Mrs Griffiths, 'rwyt ti'n gwybod ymhle mae pob dim, ond fe fyddai lawn cystal i ti dynnu clwt y bychan gynta er mwyn iddo fod yn gysurus wrth sugno ac fe fedri roi clwt glân iddo ar ôl ei fwydo. Aiff o'n ôl i gysgu i ti wedyn ac fe gawn ni'n dwy damaid o de. Does dim enllyn arbennig gen i, doeddwn i ddim yn dy ddisgwyl di.'

Cochodd Gwawr. Fe ddylai fod wedi galw'n amlach. Bu ganddi ddigon o amser.

'Be 'di'i oed o?' gofynnodd Mrs Griffiths yn craffu drwy'i sbectol ar y babi wrth i Gwawr ei drin.

Rhewodd Gwawr. 'Dw i'm yn siwr, tua'r deufis 'dw i'n credu.'

'Mae'n glamp o blentyn am ddeufis,' sylwodd Mrs Griffiths, 'ac yn siarp hefyd. Mwy fel tri neu bedwar mis ddwedwn i . . .' Hyd yn oed yn ei gwendid, fe fyddai'n anodd iawn i neb dwyllo'r hen wraig. 'Be 'di'i enw fo?' oedd ei chwestiwn nesaf.

Erbyn hynny, roedd y clwt gwlyb wedi ei dynnu a'i daflu i'r tân a'r peth bach yn sugno'n gryf wrth deth y botel newydd. Swatiai'n gysurus ym mreichiau Gwawr ac ymhyfrydai hi yng nghynhesrwydd meddal ei gorff bach oedd yn pwyso'n ei herbyn. Anwybyddodd y cwestiwn ac ni ofynnodd Mrs Griffiths yr eilwaith. Sbiai i'r tân â'i meddwl ymhell. Roedd yn ysbaid hyfryd o lonyddwch ac ymlaciodd Gwawr a'i fwynhau. Yn ei breichiau roedd ganddi fabi, babi y gallai hi ei garu â'i holl galon ac fe dyfai o i'w charu hi 'run fath . . . Ond ar hyn o bryd, roedd cael dal y bwndel diniwed yn brofiad llesmeiriol.

'Mae'n ddiddig iawn,' torrodd llais Mrs Griffiths ar draws ei synfyfyrio.

'Ydi,' cytunodd Gwawr a phenderfynu mai dyma'r amser i egluro'r trefniadau oedd ganddi. 'Fydd o ddim trafferth a wnaiff o ddim tarfu arnoch chi o gwbl . . .'

'Rwyt ti'n bwriadu dod ag o yma eto felly?'

'Dw i'n gobeithio . . .' dechreuodd Gwawr tra sbiodd Mrs Griffiths arni'n ymholgar ond yn dal i raddau yn ei byd ei hun. 'Dw i'n gobeithio y gwnewch chi adael i mi . . .'

Torrodd Mrs Griffiths ar ei thraws, 'Chaiff o ddim cyfle i darfu llawer arna i,' meddai'n araf. 'Dw i 'di penderfynu, ar fy liwt fy hun, symud i Heulfryn. Dim ond llenwi ffurflen a chael y doctor i'w harwyddo oedd 'i angen . . .'

'Na!' Prin y gallai Gwawr goelio a hithau'n bwriadu dod yma i fyw ati. 'Ond roeddech chi mor gyndyn yn erbyn . . .'

'Oeddwn, mi wn, ond y grisiau 'na sy'n fy lladd i. A does gen i ddim lle i ddod â gwely i lawr. Mae Mrs Best yn rhoi'r gore i'w gwaith cyn bo hir a dydw i ddim am ddysgu gwneud efo rhywun dieithr . . .' Ochneidiodd.

'Mae'r hen gricymale wedi 'nghuro i . . . a ga i gwmpeini yn Heulfryn.'

'Ond . . . ond dyma'ch cartre chi, wedi bod erioed. Mynd â'i ben iddo wnâ'r tŷ wedi i chi fynd. Allwch chi ddim 'madael . . . ac os wnewch chi aros, fydd dim rhaid i chi wneud â neb dieithr,' pwysleisiodd Gwawr, yn gweld ei breuddwyd hithau'n llithro o'i gafael. 'Achos fe ddo i yma i fyw atoch chi ac edrych ar eich hôl chi. Fe wna i wir . . . Os dw i'n byw yn y tŷ fydd dim angen i chi bryderu mwy . . . Fe allwn ni fynd ar wib i'r dre eto a chael hwyl . . .'

'Ti'n dod yma i fyw? Be sy yn dy feddwl di, hogan? A beth am dy fam a dy dad? Beth ddeudan nhw?'

'Nid fy mam a fy nhad i ydyn nhw.'

'Nhw 'di'r agosa gei di at fam a thad bellach . . .'

'Ond does arna i mo'u hangen nhw mwy. Neu, fyddai ddim 'tawn i'n cael dod yma, fi a'r babi.'

'Ti a'r babi! Babi pwy ydi o, felly?'

'Does dim ots. Fi bia' fo. Dydi'i rieni o'i hun mo'i eisie fo. Slwt galed ydi'i fam ac roedd yn rhaid i mi'i achub o'i chrafangau hi . . .'

'Rho fo'n ôl yn ei bram,' cynghorodd Mrs Griffiths yn bwyllog. 'Mae o'n cysgu'n braf ar ôl llenwi'i fol a chychwyn arferion drwg ydi magu babi sy'n cysgu. Wedyn, dos di i wneud paned i ni'n dwy—ac fe gawn ni frechdan jam a bisged bach ar yr un pryd. Fe gawn ni drin yr helynt 'ma wrth ein pwysau.'

A'i chalon yn curo'n gyflym ond yn gorfoleddu am nad oedd Mrs Griffiths wedi dadlau na gwrthod yn ffwrbẃt, ufuddhaodd Gwawr ac ymhen deng munud roedd y te'n barod.

Wedi cymryd llymaid da, pwysodd Mrs Griffiths ymlaen at Gwawr, 'Rŵan 'ta, 'mechan i, bwrw dy fol. Be yn union sy 'di digwydd?'

7

Wnaeth Mrs Griffiths ddim torri ar draws Gwawr unwaith wrth iddi ddweud ei stori, ac ar ôl iddi orffen, eisteddai'r hen wraig fel petai hi wedi'i syfrdanu am ysbaid. Roedd yr aros yn hir iawn i Gwawr oedd yn gwylio'r hen wraig yn bryderus obeithiol. Yna siglodd ei phen yn araf, 'Elli di mo'i gadw,' meddai'n bendant. 'Meddwl am ei fam druan.'

Wfftiodd Gwawr at y fath reswm gwachul. 'Doedd arni hi mo'i eisie, fe ddeudodd hi'n blaen ac yn ddigon uchel i bawb yng nghaffi Guppi'i chlywed hi.'

'Mae'n bosib iddi hi ddeud ac mae'n siŵr fod ganddi'i rhesymau. E'lla mai eisie dwyn pwysau ar y llanc i'w phriodi roedd hi, wyddost ti ddim. Wyddost ti ddim mwy am yr amgylchiadau nag a wyddost ti am amgylchiadau d'eni di dy hun, ond mae un peth yn amlwg, hyd yn oed i rywun fel fi sy â'i golwg yn pallu, chafodd y plentyn 'na ddim cam. Edrych ar ei ddillad o. Nid mewn siop y prynwyd y gôt a'r trywsus bach yna; mae rhywun wedi'u gweu a chymryd trafferth. Edrych mor lân ydi'i groen o, dim un brycheuyn—ac mae o'n llond ei groen. Mae'r plentyn yn cael gofal ac mae gofal yn golygu cariad . . .'

'Fe fyddwn i'n ei garu o, fe fyddwn i'n ei garu o'n fwy na neb yn y byd.' Ymatebodd Gwawr yn wyllt. Roedd hi wedi disgwyl cymaint gan Mrs Griffiths ac roedd hi'n ei siomi . . .

'Mae'i fam o'n ei garu o hefyd. Fe gariodd hi o yn ei chroth am naw mis hir ac mae'i breichiau hi'n wag y prynhawn 'ma. Wyt ti'n cofio fel roeddet ti'n teimlo ar ôl colli Eli Lwyd?'

Allai Gwawr ddim ateb. Gollyngwyd y gwynt o'i swigen gyda'r cyfeiriad at Eli. Teimlai fod Mrs Griffiths yn greulon; yn cymryd mantais o'r cyfrinachau a ddatgelodd wrthi gan feddwl y gallai ymddiried ynddi. Ac roedd hyn yn wahanol; tegan oedd Eli. Chlywodd hi erioed gynhesrwydd yng nghorff Eli; roedd yn rhaid cael rhywbeth byw cyn teimlo gwres a hyblygrwydd . . . Allai Eli ddim chwythu bybls bach rhwng ei wefusau, doedd ganddo ddim llygaid gleision llawn ffydd . . . Dechreuodd ei dagrau ddisgyn dros ei gruddiau. Pe bai Mrs Griffiths ond yn fwy rhesymol . . . Am foment, ystyriodd gydio yn y babi a dianc. Ond i ble? A Mrs Griffiths yn ei gwrthod hi, doedd ganddi nunlle arall i droi. Peth ofnadwy ydi bod heb unlle . . . yn anorfod, cydymdeimlodd â'i mam naturiol ei hun. Tybed a fu hithau heb unlle i droi—a babi'n dibynnu arni?

Arhosodd yr hen wraig yn dawel nes i'r pwl o grio chwythu'i blwc. 'Rŵan,' meddai, 'dos di at yr heddlu. Mae'n siŵr eu bod nhw'n chwilio am y babi erbyn hyn. Maen nhw'n symud yn o fuan pan fydd plant ar goll. Pe na bait ti wedi galw heibio mae'n debyg y byddwn i wedi clywed am yr helynt ar *Newyddion Post Prynhawn* am bump. Mae 'na orsaf heddlu heb fod ymhell, gwaelod Stryd Talbot. Fe gei adael y babi yma os yw'n well gen ti. Fe ei di'n gynt heb bram i dy rwystro di, a fyddai hi ddim yn beth doeth mynd â'r peth bach allan a hithau'n oeri gyda'r nos. Dywed wrthyn nhw fod y babi yma. Does dim angen i ti ddweud mwy os nad wyt ti am wneud ac fe ro i'r babi'n ôl iddyn nhw . . .'

Doedd dim byd cyhuddgar yn ei thôn nac yn ei golwg, a siaradai'n dawel ddiffwdan. Eto i gyd, deallodd Gwawr na fyddai dim perswâd arni. Cododd a mynd at y pram. Mor ddel oedd y babi! Cyffyrddodd â'r foch bach gron . . . byseddodd y gwrthban trwchus, hwnnw fel y dillad wedi'u gweu â llaw. Tagodd. Nid bag plastig oedd o gwmpas i hwn . . . Roedd Mrs Griffiths yn iawn, bu rhywun yn dringar iawn ohono; rhywun a allai roi mwy iddo nag a gallai hi . . .

'Fe a' i,' meddai, gan godi'i phen ac estyn am ei chôt. Plygodd a chusanu'r talcen esmwyth.

'Hogan dda,' canmolodd Mrs Griffiths. 'Dw i'n falch ohonot ti.'

Ar ôl iddi hi gyrraedd gorsaf yr heddlu, bu pethau'n go wahanol i ddisgwyliadau Gwawr. Roedd hi wedi disgwyl cael dweud ymhle'r oedd y babi ac yna cael ei rhyddhau. Ond ar ôl dweud ei neges, bu'n rhaid iddi roi'i henw a'i chyfeiriad a sgrifennu'r hanes i gyd i lawr ar ddarn o bapur. Chwarae teg, fe gafodd baned o de ond chafodd hi mo'i rhyddhau.

'Pam na cha i fynd rŵan?' gofynnodd i'r heddwraig oedd yn ei thywys i stafell fach ar ei phen ei hun. 'Dw i am fynd 'nôl at Mrs Griffiths, i'w rhybuddio bod yr heddlu'n galw . . .'

'Paid ti â phoeni am hynny,' meddai'r heddwraig. 'Mae'n rhaid inni wneud yn siŵr dy fod ti wedi dweud y gwir wrthon ni'n gynta . . .'

Synnodd Gwawr, 'Fyddai neb yn dweud celwydd am y fath beth, does bosib.'

'Mae pobl yn gwneud pob math o bethau er mwyn cael sylw,' meddai'r heddwraig, 'a rhaid i ti gofio os ydi dy stori di'n wir, rwyt ti wedi cyflawni trosedd ddifrifol.'

'Ond dw i 'di dod i gyffesu,' meddai Gwawr. 'Mae popeth yn iawn bellach.'

'Wyddon ni mo hynny eto,' meddai'r heddwraig.

'Be sy'n mynd i ddigwydd felly?' gofynnodd Gwawr yn dechrau sylweddoli maint a ffyrnigrwydd y nyth cacwn a dynnodd am ei phen.

'Bydd yn rhaid i rywrai fynd i'r cyfeiriad y rhoddaist ti i ni i nôl y babi a'i ddychwelyd at ei fam. Mae'n bosib y bydd hi am ddwyn achos yn d'erbyn di a chan nad wyt ti'n ddeunaw oed eto, fe fydd yn rhaid i ni gysylltu â dy rieni . . .'

Disgynnodd Gwawr yn swp i'r gadair fach galed oedd yn y stafell a chodi'i dwylo i'w hwyneb. Doedd hi ddim wedi bwriadu achosi'r holl helynt; fynnai hi ddim tynnu Sylfia a John i mewn iddo chwaith. Yn ei brwdfrydedd, doedd hi ddim wedi meddwl am eu hymateb nhw. Beth pe baen nhw'n troi yn ei herbyn hi? Sut ymdopai hi wedyn? Ar ben hynny, sylweddolodd iddi achosi helbul i Mrs Griffiths, a hithau'n mynd i oed ac efallai'n methu dygymod . . .

Cafodd awr dda i ystyried ei ffolineb a sylweddoli mor ddiawledig o hunanol a difeddwl y bu hi. Beth ddôi ohoni?

Ar ganol ei diflasdod, agorodd y drws, 'Rhywun i dy weld di,' meddai'r heddwraig.

Dilynodd Gwawr hi'n ôl i'r cyntedd gan ddisgwyl gorfod ateb mwy o gwestiynau. Petrusodd pan welodd Sylfia a John yno. Phetrusodd Sylfia ddim, fe redodd ati a thaflu'i breichiau amdani a'i gwasgu'n dynn, ''Yn hogan fach i,' meddai, 'O'n hogan fach i'.

O dipyn i beth, gan dorri i wylo bob hyn a hyn, adroddodd Gwawr yr hanes a synhwyrai rywsut fod John a Sylfia'n deall pam roedd hi wedi ymddwyn mor ddychrynllyd o ffôl, a'u bod nhw'n cydymdeimlo, a Sylfia'n arbennig.

'Rwyt ti'n gweld,' eglurodd yn dawel, 'dw i'n gwybod sut roeddet ti'n teimlo. A dw i'n gwybod sut rwyt ti'n teimlo'r funud 'ma—wedi cael cyfle i deimlo pwysau'r babi ac yna gorfod ei roi o'n ôl.'

Hyd yn oed yng nghanol ei helynt ei hun, yr eiliad honno synhwyrodd Gwawr y boen a ddioddefodd Sylfia. Y ffaith iddi golli'r babi a'i gyrrodd hi i lethu Gwawr â gormod o sylw pan aeth atynt i fyw gyntaf. Pan na chafodd ymateb gan Gwawr, ceisiodd leddfu'i hiraeth drwy ffwdanu ynghylch y tŷ a'r dodrefn a'r ardd. Teimlai hithau'n drist yn rhoi'r babi'n ôl a doedd hi ond wedi'i fagu unwaith, tra oedd Sylfia wedi magu'i babi hi am wythnosau. Er ei gwaetha, dechreuodd y dagrau lifo'n rhydd eto. Estynnodd Sylfia ei breichiau amdani a'r tro hwn, thynnodd Gwawr ddim 'nôl.

'Chwarae teg i'r Mrs Griffiths 'na,' meddai John wedi i'r gwaetha o'r wylo fynd heibio. 'Fe awn ni acw i ddiolch iddi hi ar ôl mynd o 'ma.'

'Efallai na cha i fynd adra,' meddai Gwawr yn ofnus ond yn teimlo'n nes at Sylfia nag a wnaeth ers blynyddoedd, erioed efallai; ac yn fwy hapus hefyd.

'Fe gawn ni weld beth sy'n digwydd,' meddai John, yn croesi at y ddesg lle y safai'r heddwraig.

Teimlodd law Sylfia'n gwasgu'i un hi'n gysurlon, a diolchodd am yr egin dealltwriaeth a dyfodd rhyngddynt.

Tra sgwrsiai John â'r heddwraig daeth dau heddwas i mewn. Roedden nhw wedi bod i 5 Stryd y Bont ac wedi cael hyd i'r babi yn ddiogel yng ngofal Mrs Griffiths. Erbyn hyn roedden nhw wedi'i ddychwelyd at ei fam. Robert oedd enw'r peth bach ac roedd yn dri mis a hanner oed. Gan na chafodd o niwed o gwbl, ni fynnai'r fam ddwyn achos yn erbyn Gwawr. Roedd hi mor ddiolchgar am gael y babi'n ôl yn ddianaf fel mai'r unig beth a ddymunai oedd cael anghofio'r cwbl cyn gynted â phosib. Felly, gan nad oedd yr heddlu am ddwyn achos yn ei herbyn chwaith, er iddi hi dderbyn rhybudd difrifol iawn, cafodd Gwawr ei rhyddhau i fynd adre dan ofal John a Sylfia. A fuodd hi erioed mor ddiolchgar am gael cerdded drwy fanlaw noson ddiflas o Fawrth.

Roedd yn hwyr erbyn iddyn nhw gyrraedd 5 Stryd y Bont ac roedd yr hen wraig ar fin mynd i'w gwely. Synnodd weld John a Sylfia yng nghwmni Gwawr ond fe'u croesawodd i'r tŷ'n gwrtais. Roedd yn dda ganddi ddysgu bod popeth wedi dod i ben mor ddidrafferth.

Arhoson nhw ddim yn hir. Roedd y berthynas rhwng Gwawr a Mrs Griffiths yn rhy breifat i gynnwys neb arall a braidd yn ffurfiol oedd y sgwrs. Heblaw am hynny, roedd yr hen wraig wedi blino ac ofnai Gwawr iddi hi gael mwy na digon o gynnwrf y diwrnod hwnnw.

'Arhosa i gyda chi heno,' cynigiodd yn sydyn, 'yn y llofft fach.'

'Does dim angen i ti,' oedd ateb nodweddiadol Mrs Griffiths, 'a gartre efo dy rieni mae dy le di. Paid â phoeni amdana i, nid dyma'r tro cynta i'r heddlu fod wrth ddrws y tŷ yma a dw i ddim mor fethedig na alla i ddim dygymod â thipyn o fynd a dod unwaith yn y pedwar amser. A cha i ddim cyfle cyn bo hir,' meddai gan wenu'n gyfrwys.

'Ches i ddim cyfle i ddweud wrthot ti, fe fydda i'n symud i Heulfryn ddiwedd wythnos nesa . . .'

Syrthiodd gwep Gwawr. Rhythodd yn syn arni. 'Mae hynny'n sydyn,' meddai, yn teimlo fel 'tai darn go fawr o'i byd hi yn disgyn o'i gafael a hithau'n simsanu heb ddim i afael ynddo i'w sadio'i hun. 'Ddwedsoch chi ddim 'i fod o mor fuan â hynny.'

'Ofynnaist ti ddim, naddo, gan fod dy ben mor llawn o dy gynlluniau di dy hun.'

Llyncodd Gwawr ei phoer a throi at Sylfia a John a eisteddai gyda hi o gwmpas y bwrdd. Roedden nhw'n garedig wrthi, oedden, ac wedi bod erioed. Ond y noson honno, teimlai na allai neb fyth lenwi'r bwlch a adawai Mrs Griffiths yn ei bywyd. 'Fe ddo i'ch helpu chi i bacio,' addawodd yn drist.

'Gwna hynny,' meddai'r hen wraig, 'a phaid ag anghofio, dydi Heulfryn ddim ymhell, fe fyddai'n dda gen i dy weld di acw, fel rwyt ti 'di dod yma.'

Doedd Gwawr ddim wedi meddwl am hynny. 'O, fe ddo i,' addawodd yn frwd.

'A phwy ŵyr,' meddai'r hen wraig eto, 'na fydd 'na job fach yn mynd yno rywbryd i rywun addas i edrych ar ôl hen bobl, ac fe alla i dystio dy fod ti 'di cael profiad gwerthfawr wrth ddod 'nôl a 'mlaen yma ata i. Does dim cymaint o wahaniaeth rhwng tendio pobl mewn oed a gwarchod plant, nac oes? Be 'di'ch barn chi, Mrs Wilkins?'

'Nac oes debyg,' cytunodd Sylfia, gan godi i fynd. 'Ond 'dach chi 'di blino a 'dan ni'n eich cadw o'ch gwely. Tyrd 'nghariad i,' meddai yn estyn braich am ysgwydd Gwawr, 'fe gei ddod yma dy hun fory i ddiolch yn iawn i Mrs Griffiths . . .'

Roedd y fraich yn gysur ond cyn iddi ddilyn John a Sylfia i'r car, trodd Gwawr yn ei hôl a rhoi clamp o gusan ar foch yr hen wraig.

'Allwn i'm gwneud a nhwythau'n gwylio,' eglurodd, 'ond dw i yn ddiolchgar—am bopeth!'

'Dyna ti, ffwrdd â thi rŵan,' meddai honno, ond gwyddai Gwawr oddi wrth y wên yn ei llygaid ei bod wedi'i phlesio.

Aeth yn ôl at y car yn gefnsyth. Gwyddai iddi ymddwyn yn ffôl ac yn fyrbwyll wrth ddwyn y babi. Byddai'n edifarhau weddill ei hoes ond cysurai'i hun i ryw ddaioni ddod o'r helynt. Roedd hi'n adnabod Sylfia'n well bellach ac efallai'n ei hadnabod ei hun yn well hefyd.

Wrth i'r car gychwyn, gwelodd y golau'n cael ei ddiffodd yn y gegin a gwyddai fod Mrs Griffiths yn mynd i'w gwely. Beth ddigwyddai i 5 Stryd y Bont ar ôl i'w berchennog symud i Heulfryn? Ai mynd â'i ben iddo a wnâi, fel y proffwydodd dros flwyddyn yn ôl? Plygodd ei phen yn drist. Trueni fyddai hynny. Roedd yn gartre ac roedd hi wedi dysgu cymaint o dan ei do. Fory, meddyliodd, fory, pan ddo i yma eto, fe gynigia i ddod heibio'n gyson i gadw golwg ar y lle; cynnau tân yn y gaeaf a glanhau'r ffenestri. Er cof am yr oriau difyr a dreuliais yma.